MARC ANDRÉ MOREL

De l'Énergie à vie!

Trouver et garder la motivation au gym

du Leader

ÉDITIONS

Données de catalogage avant publication (Canada)

Morel, Marc André, 1965-
De l'énergie à vie : trouver et garder sa motivation au gym
ISBN 0-9738551-0-X

Conception graphique de la couverture :
PROJET BLEU, MONTRÉAL

Illustrations :
MICHEL POIRIER

Révision :
ARIANE GAGNÉ

Photocomposition et mise en pages :
PROJET BLEU, MONTRÉAL

ISBN 0-9738551-0-X

Imprimé au Canada
MARQUIS IMPRIMEUR INC.

MARC ANDRÉ MOREL

De l'Énergie à vie!

Trouver et garder la motivation au gym

Vos commentaires, suggestions
et témoignages sont appréciés :

✧ **Les éditions du Leader inc.**
C.P. 116
St-Sauveur-des-Monts, Québec J0R 1R0
Tél. : (450) 224-3030
Site Internet : www.marcandremorel.com
Courriel : leader@marcandremorel.com

TABLE
DES MATIÈRES

AVERTISSEMENTS

NOTE AU LECTEUR

*À tous ceux et celles qui ont
choisi de prendre leur santé
et leur vie en main.*

Remerciements

Je souhaite remercier la première personne qui a su m'écouter et qui a cru en ce projet dès les premiers instants, Judith Fleurant d'Énergie Cardio. Sans toi, on n'y serait pas. Merci pour tes efforts de lecture et tes commentaires pertinents qui ont su ajouter richesse et justesse à ce livre. Merci aussi à Alain Beaudry et Caroline Pitre qui ont donné leur aval à cette aventure unique et novatrice. À vous trois, grands manitous du réseau Énergie Cardio, vous faites ce qu'il faut pour améliorer nos conditions de vie.

Merci à tous les franchisés Énergie Cardio pour y avoir cru sans l'avoir vu. Merci pour ce vote déterminant. Bravo pour ce sentiment de mission en action ! Merci plus particulièrement à Geneviève Lajoie, quatre fois franchisée, qui non seulement supporte fiévreusement le développement de ses employés mais qui a l'âme d'une visionnaire et l'énergie de la jeunesse éternelle. Merci d'avoir mis à ma disposition tes centres et ton équipe dynamique à Lafontaine.

Merci à Josée Lavigueur pour ton ouverture d'esprit, ta générosité et ta candeur dans ce projet. Et que dire de toutes ces années à nous répéter que « c'est facile », « c'est pas compliqué », « c'est faisable » et que le corps est une belle machine qui finit toujours par s'adapter. Tu es une pionnière et une source d'inspiration pour tous.

Merci à Isabelle Huot, notre docteure en nutrition préférée ! Ta passion pour la nutrition santé, tes connaissances et ton éloquence ajoutent à la raison d'être de ce livre.

Merci à Marc Fisher, auteur québécois prolifique lu et admiré aux quatre coins de la planète. Tes conseils, ton enthousiasme, ton support et ta précieuse amitié font partie intégrante de cette réalisation.

Merci à mon entraîneur personnel Steve Roy « Stevie Roye ». Tes conseils, ta force, ta détermination, ton âme généreuse et ton cheminement m'inspirent à chacune de mes séances.

Merci à toutes mes « cheerleaders » du centre Énergie Cardio de Lafontaine : Audrey, Émilie, Julie et Mélanie. Votre enthousiasme constant, votre disponibilité et vos encouragements sont contagieux.

Merci Jean-Denis Thomson pour ton aide technique effectuée avec précision et efficacité.

Merci Chantal Hanna pour ton support important effectué dans l'ombre.

Je souhaite aussi spécialement remercier tous ceux et celles qui ont accepté de partager, à l'aide de leur témoignage, leur expérience inspirante et motivante : Martin Demuy, Émilie Lamoureux-Leclerc, Jean Pronovost, André Plante, Aurèle Lefrançois, Daniel Tozzi, Louison Doyon, Jean-Claude Morin, Pierre Richer et Nadia Fauteux. Vos témoignages enrichissent ce livre et inspirent des milliers de lecteurs.

· ▪ ■ ▪ ·

PRÉFACE

PAR JOSÉE LAVIGUEUR

Certains éléments font parti du quotidien et de la vie. Ils ne se palpent pas, ne se fabriquent pas et surtout, ne se vendent pas. On ne peut pas mettre en boîte « le plaisir ». Et heureusement. Si cela était possible, on en verrait partout et dans tous les formats. Pourtant le plaisir est à la base d'une grande partie des choix de tous, chaque jour.

C'est par plaisir que l'on retourne dans un restaurant, les visites précédentes ayant laissé d'agréables souvenirs. On revoit un film à deux ou trois reprises, on écoute une chanson des centaines de fois… pour le plaisir. Parce que ça fait du bien, tout simplement.

Pourquoi donc est-ce si difficile de repérer ce plaisir dans la pratique régulière de l'activité physique ? Cette notion de plaisir est, selon moi, l'élément de motivation qui manque à une trop grande majorité d'individus qui sont pourtant bien décidés à garder la forme ou à l'améliorer. Le caractère ludique d'une activité physique transforme la perspective du participant. Les enfants, règle générale, établissent un lien direct entre l'activité physique et le jeu. En fait, s'il n'y a pas de plaisir, quel que soit le jeu ou le sport, la motivation s'éteindra sans demander son reste.

Le défi est donc clair : découvrir, vis-à-vis de l'entraînement, des aspects plaisants, des aspects positifs et agréables qui sauront durer après les six premières semaines. La motivation prend trop souvent des allures de chiffres et d'objectifs quantifiables. Au-delà de la silhouette idéale ou du nombre de calories à « brûler », au-delà de la performance et du nombre de points à compter, il y a votre santé globale, celle qui est physique mais aussi mentale.

La motivation reste un grand mystère qu'il vous faudra découvrir seul, dans votre bulle, avec l'aide d'un guide. Un guide comme celui que Marc André Morel vous présente ici. Ce livre vous permettra de voir plus clair dans vos idées, vos buts et vos véritables raisons de vous entraîner. *De l'Énergie à vie!* vous permettra enfin et une fois pour toutes, de demeurer motivé afin de découvrir et d'entretenir, tout au long de votre vie, le véritable plaisir de bouger !

Josée

JOSÉE LAVIGUEUR EST ÉDUCATRICE PHYSIQUE
ET PORTE-PAROLE OFFICIEL
DU RÉSEAU ÉNERGIE CARDIO.

· ■ ■ ■ ·

INTRODUCTION

Tout d'abord, je souhaite vous féliciter pour vous être engagé de façon proactive et positive à améliorer votre santé et, ultimement, à réaliser votre réussite personnelle. Le fait que vous soyez en train de lire ces lignes en dit long sur votre désir de respecter cet engagement et de créer de nouvelles habitudes que vous conserverez, pour votre plus grand bénéfice, tout au long de votre existence.

Ce livre ne porte pas sur les techniques d'entraînement, sur les activités possibles et sur l'utilisation des appareils au gym. Encore moins un discours moralisateur, ce livre se veut un guide pratique, simple et rapide à lire qui vous permettra de trouver et de garder la motivation pour aller au gym. Et ce, dans le but d'obtenir les résultats personnels souhaités.

Très souvent, les résultats visés n'ont rien à voir avec l'aspect physique. On souhaite être plus beau, retrouver son souffle ou le conserver, garder souplesse, force et vitalité, bien sûr. Mais il y a tout l'aspect psychologique recherché qui est très souvent le moteur des engagements et résolutions. On cherche à se sentir bien dans sa peau, on veut cesser d'être gêné sur la plage ou devant son partenaire, on désire également éliminer ses complexes. On désire aussi augmenter son estime personnelle et sa confiance en soi, oublier ou faire le deuil d'une relation et rencontrer des gens qui prennent soin d'eux et qui sont positifs; c'est ce genre de personnes que l'on rencontre au gym. On veut prendre le contrôle de sa vie, de son énergie. En somme, pour plusieurs, aller au gym est une façon de mieux s'apprécier en se découvrant un potentiel insoupçonné.

Diverses raisons motivent les gens à aller au gym. Certains y vont pour faire comme les autres, sans trop savoir pourquoi. D'autres le fréquentent depuis longtemps. Certains ne s'y rendent jamais. Mais quel est le secret de ceux qui maintiennent leur routine et leur discipline en consacrant le temps et l'énergie pour y aller? Il n'existe pas de formule magique. Il y a autant de réponses qu'il y a d'individus qui réussissent leur engagement. Ce guide, tout à fait unique et innovateur, est destiné à vous aider à déterminer *votre* recette secrète bien à vous ! Ainsi, vous aurez la fierté et la satisfaction de vous être engagé… et surtout d'avoir persisté.

Qui un jour n'a pas abandonné pour une période prolongée ses séances d'entraînement au gym ? Je crois que tous vivent cette situation au moins une fois dans leur vie. En fait, les statistiques débordent de données à cet effet. Pourquoi tant de personnes abandonnent-elles ? Ce n'est pas parce que leur corps et leur esprit n'en avaient plus besoin. Au contraire, on cesse souvent d'aller au gym au moment où le corps est sur le point de retirer d'énormes avantages de l'entraînement. En effet, on abandonne tantôt à cause d'une surcharge de travail, tantôt à cause d'obligations personnelles grandissantes (venue d'un enfant, par exemple) ou d'une charge de stress qui s'accumule. Au lieu de donner à son corps sa cure de jeunesse régulière, on le démunit de son ressourcement en diminuant la fréquence de cette activité qui était réservée à son bien-être et qui permettait d'évacuer le trop plein de stress. Pourquoi ? La prochaine section et l'ensemble de ce guide sauront répondre en grande partie à cette question.

En définitive, *De l'Énergie à vie !* saura vous « parler » et vous amener à vous poser des questions sur *vos* raisons pour aller au gym, ainsi que sur vos valeurs, vos priorités, votre propre hygiène de vie et votre engagement. Chacun y trouvera *sa* – ou *ses* – réponses.

À votre santé !

Marc André Morel

ST-HIPPOLYTE, QUÉBEC

« Pour la plupart d'entre nous, la santé ne découle pas de ce que nous sommes, mais de la façon dont nous vivons. Notre corps de 20 ans dépend de nos gènes, mais notre corps de 40, 60 ou 80 ans est celui que nous méritons, celui qui reflète notre manière d'être. »

Harvey Simon

LA DÉCISION :
CHOISIR D'ALLER AU GYM

Pourquoi parler d'aller au gym quand on pourrait parler des sports en général ? Tout simplement parce que les avantages sont considérables. Selon moi, il s'agit de la façon la plus sûre, la plus simple et la plus efficace pour atteindre ses objectifs de santé physique. D'abord, contrairement aux diverses disciplines sportives, nul n'a besoin d'une habileté particulière pour utiliser et bénéficier d'un vélo stationnaire, d'un tapis roulant, d'un rameur, de poids et haltères ou pour participer à l'un des nombreux programmes de groupes adaptés (danse aérobique, cardio tae-boxe, mouvements pilates, énergie yoga et autres). Il est pratiquement impossible de manquer son coup ! Tout le monde peut apprendre à utiliser l'un de ces appareils ou de ces programmes en soixante minutes ou moins. Aucunement besoin, donc, d'avoir été ou d'être « bon » dans les sports.

À l'école primaire, on me choisissait toujours en dernier dans les équipes de ballon chasseur. J'avais de la peine à attraper un ballon. Le fait que j'étais un ou deux ans plus jeune que les autres (j'ai sauté ma deuxième année et je suis entré en maternelle avant mes amis de classe étant donné ma date de naissance) n'a sûrement pas aidé ma cause. Je servais des excuses à mes professeurs d'éducation physique en feignant d'être asthmatique pour ne pas participer aux différentes épreuves sportives. Je n'ai jamais joué au hockey de ma vie. Tout un exploit pour un Canadien, n'est-ce pas ? J'ai toujours été médiocre au mieux dans les sports qui nécessitent de la dextérité, de la technique et de la concentration. J'avais d'autres talents, disons ! Et tout ça, simplement parce que je n'avais pas confiance en moi et que je ne voulais pas perdre la face en ne me montrant « pas bon » dans l'activité. Tout ce cirque m'a non seulement privé du plaisir relié à la pratique du sport et des liens qui auraient pu se tisser avec mes coéquipiers, mais il m'a privé de bénéfices importants tant sur le plan du développement de ma condition physique que de ma santé.

J'ai donc grandi avec la conviction que je n'étais pas doué pour le sport, pour aucun sport. Jusqu'à ce qu'à l'âge de 14 ans, je découvre la natation. Ma sœur m'avait inscrit avec elle – sans m'en avertir – à un cours de natation offert pendant l'été. J'avais appris à nager très jeune, mais sans plus. J'ai adoré ces cours offerts aux débutants. D'autant plus que je n'avais pas à me mesurer aux autres. Je pouvais me concentrer à parfaire *ma* technique sans me préoccuper d'être supérieur à mes compagnons. Ce n'était pas pour être meilleur qu'un autre. Ça me suffisait à ce moment. J'étais finalement doué pour une activité physique. Je me découvrais un sport que je pratiquais avec passion. À un point tel que deux ans plus tard, j'ai reçu la formation de sauveteur et j'ai été employé par les piscines de la Ville de Saint-Léonard. Je me suis également impliqué dans l'équipe locale de water-polo. L'année suivante, je me qualifiais pour les Championnats provinciaux. Je ne suis jamais devenu meilleur au hockey, au baseball ou au football, mais j'avais pris confiance en moi et suis rapidement devenu passionné pour l'activité physique en général. Je sautais sur mon vélo aussitôt que je le pouvais et dès l'âge de 18 ans, j'ai commencé à utiliser les poids et haltères afin de prendre soin de mon corps. Je n'ai presque jamais cessé d'être actif dans un centre d'entraînement (gym). Cette nouvelle valeur dans ma vie m'a incité à franchir une étape demeurée inconcevable jusque là : participer à un demi-marathon. Faire partie d'un événement de marathon… moi ? Celui qui se cachait dans les gradins du circuit d'athlétisme au secondaire en faisant semblant de souffrir d'asthme pour ne pas être humilié devant ses pairs et son enseignant ? Eh oui ! En 1996, j'ai couru 18,5 kilomètres (le demi-marathon n'était pas réparti en deux parties égales de 21 km) en 1 heure 37 minutes. Et sans m'arrêter. J'étais – et je le suis encore, 10 ans plus tard – extrêmement fier de cette réalisation. Et tout ça s'est mis en branle sur un tapis roulant dans un gym. En commençant par 10 minutes, puis 15, puis 20.

J'ai entrepris tard de me mettre en forme et au moment où j'ai décidé de m'y mettre, je « revenais de loin ». Aujourd'hui, je suis toujours un adepte du gym pour plusieurs raisons :

- Ils sont disponibles partout dans les hôtels du monde lors de mes déplacements. Pas d'excuses qui tiennent!;

- Ils sont à l'abri des intempéries;

- La plupart offrent plusieurs activités qui me permettent de déjouer la monotonie.

- Certains donnent accès à une piscine qui est encore un espace magique pour moi, étant donné la relation privilégiée que j'entretiens avec ce lieu;

- Ils offrent une ambiance chaleureuse, motivante et dynamique. Il fait toujours « beau » dans un gym!;

- Il y a même du « beau monde » très souvent! Sans blague, j'aime y retrouver les gens qui les fréquentent puisqu'il s'agit d'individus proactifs et positifs qui prennent leur vie et leur santé en main. Et je veux m'entourer de ce genre de personnes;

- Il y a toujours quelqu'un qui peut m'aider;

- La formule standard favorise l'adaptation en quelques minutes;

- L'entraînement en gym nécessite peu de temps – aussi peu qu'une heure – comparativement à bien d'autres activités;

- Dépendamment du centre, le coût est relativement peu élevé – surtout en comparaison avec plusieurs sports tels le ski, le hockey, le golf, pour ne nommer que ceux-là;

- Le coût de la tenue requise est peu élevé;

- Nul besoin de m'occuper de l'entretien de l'équipement; le centre en est responsable;

- L'équipement est toujours de pointe;

- Je peux y aller seul ou accompagné;

- Les heures d'ouverture conviennent à la majorité de la population – pas d'excuses cette fois non plus!;

- On peut se prévaloir des services d'un entraîneur personnel et atteindre, de la sorte, un niveau supérieur de résultats satisfaisant;

> ➤ Il est possible d'accéder à des centres partout dans la province avec un réseau comme celui d'Énergie Cardio.

POURQUOI ALLER AU GYM ?

Qu'est ce que la motivation ? En étudiant l'étymologie du mot « motivation », on retrouve les termes *motif* et *action*. La motivation, c'est un motif pour passer à l'action. Or, en trouvant vos motifs, il vous sera plus facile de persévérer.

En effet, de façon générale, on peut être motivé soit par la recherche de plaisir ou par la volonté d'éviter la douleur. Il existe autant de formules de motivation pour un objectif ou pour un sujet donné qu'il existe d'individus sur cette planète. Quelle est votre motivation à vous rendre au gym et à continuer de le fréquenter ?

> ➤ Pour améliorer considérablement votre apparence physique (afin d'avoir une plus belle silhouette, une peau plus saine, des yeux et des cheveux plus éclatants, par exemple) ?

> ➤ Pour éviter de dépendre physiquement des autres en vieillissant ?

> ➤ Pour améliorer vos performances sportives en renforçant vos muscles les plus sollicités de votre discipline ?

> ➤ Pour aider à éviter les blessures à long terme ?

> ➤ Pour améliorer votre handicap au golf ? Saviez-vous que les pros du golf comme *Vijay Sing* vont au gym chaque jour pour renforcer leurs bras et leurs jambes et pour protéger leur dos contre les blessures ?

> ➤ Pour retarder l'effet du temps sur votre corps et les maladies dégénératives qui voient le jour au troisième âge ?

> ➤ Pour une meilleure santé et une plus grande vitalité ?

- Pour améliorer vos performances sexuelles qui sont, elles aussi, une forme d'activité physique ?
- Pour augmenter votre confiance en vous ?
- Pour élargir et améliorer votre cercle d'amis ?

Quoi qu'il en soit, si vous ne réussissez pas à garder la motivation, c'est que vous vivez un déséquilibre entre vos forces de motivation et les avantages que vous trouvez à ne pas vous entraîner régulièrement. Par exemple, certaines personnes peuvent avoir peur de paraître ridicules parmi tous ces gens du centre qui ont l'air experts dans les activités de groupe et sur les appareils. Pour ces personnes craintives, la peur du ridicule ou du rejet associé à un sentiment d'incompétence l'emportent sur les raisons pour lesquelles elles devraient aller au gym sur une base régulière. En somme, deux problèmes peuvent se manifester :

1. L'impression d'avoir l'air ridicule.
2. Les raisons de s'entraîner qui ne sont pas assez fortes et clairement identifiées. Ces personnes auront intérêt à revisiter leurs peurs et à les démystifier. Elles devront aussi effectuer l'exercice personnel proposé plus loin dans ce guide afin de préciser ou de renforcer leurs motivations (*pourquoi*). Avec l'aide d'un conseiller ou d'un entraîneur personnel, elles pourront être guidées dans leurs démarches pour gagner progressivement confiance en elles, pour éliminer leurs perceptions nuisibles ainsi que leurs craintes et pour bénéficier au maximum des effets de leur entraînement.

CE N'EST PAS UNE PUNITION

S'entraîner n'est pas une corvée et ne doit pas être perçu ainsi. Certaines personnes voient leur séance au gym comme une punition. Une punition pour avoir trop commis d'abus dans le passé, pour avoir négligé leur corps pendant trop longtemps. Voilà un message très négatif à envoyer à son cerveau. Sans entrer dans des détails techniques au point de vue de la psychologie et du conditionnement humain, le subconscient interceptera ces messages – même s'il ne s'agit que de pensées bien personnelles – et associera vos visites au gym à quelque chose qu'il faut éviter à tout prix. Il est très important de toujours associer ses séances à des bénéfices et de s'entraîner par plaisir, par choix. Par exemple, alors que vous dansez, courez, sautez, pompez ou pédalez, pensez à toutes ces calories qui brûlent afin de vous aider à mieux vous mouvoir, mieux respirer, mieux dormir et mieux paraître, pourquoi pas ! L'immense force de votre subconscient travaille pour vous ou contre vous. Mieux vaut la faire travailler à votre avantage.

Sachez que plusieurs adeptes ont *a priori* considéré leur fréquentation au gym comme une corvée mais sont rapidement devenus convaincus, voire même « *accrocs* » des effets bénéfiques. Ainsi y retournent-ils pour le plaisir et le bien-être acquis.

LE SAVIEZ-VOUS ?

Lors d'activités cardiovasculaires prolongées, le corps humain sé-crète une drogue naturelle qui produit ce que l'on appelle communé-ment « l'euphorie du joggeur ». En effet, le relâchement à fort petite dose dans l'organisme de cette drogue biologique donne une sensation tout à fait unique bien connue des coureurs. Associée à l'état méditatif atteint lors d'une course de longue durée, l'expé-rience se voit sensiblement enrichie.

La plupart des gens choisissent de joindre le gym pour des raisons es-thétiques. Ils veulent perdre du poids et définir leur silhouette pour aimer ce qu'ils voient, pour bien paraître, pour être séduisant. Cela dit, il est observable que des gens multiplient leurs visites au gym de façon régulière plutôt pour des raisons de bien-être et de santé. Ce qui attire au départ est important, mais ce qui retient l'est encore plus. Qui n'a pas savouré le moment unique et presque indescriptible de bien-être qui suit une bonne séance d'entraînement cardiovasculaire, de danse aérobique, de spinning et/ou de musculation. Surtout le moment après la douche… lorsque les muscles regorgent de sang bien oxygéné, la peau est lisse, l'esprit et les yeux clairs. Wow! Quelle sensation, n'est-ce pas? Et que dire du sommeil, ce soir-là? On se sent léger, on contrôle mieux l'appétit. Du moins, on est beaucoup plus tenté par des aliments sains. C'est ça qui retient les adeptes, en fin de compte.

Un plan personnel vous sera présenté dans la section *Se fixer des objectifs* pour vous guider tout au long de vos démarches. Entre-temps, j'aimerais vous proposer un premier exercice. La première étape consiste à prendre le temps de s'asseoir avec un bloc de papier et un crayon ou devant son ordinateur, seul, de préférence, pour éviter d'être dérangé. Vous pouvez aussi utiliser les pages suivantes prévues à cet effet.

· ■ ■ ■ ·

EXERCICE PERSONNEL - Les « pourquoi » :

Vous vous demandez comment vous allez faire pour y aller régulièrement ? Comment trouver le temps et la discipline ? Avant de vous questionner sur les façons d'atteindre votre but, il est impératif d'être clair et précis sur les raisons qui vous motivent à le faire (*pourquoi*). Peu importe la situation, les *pourquoi* constituent 90% de la force qui pousse à réaliser un objectif. Seulement 10% de cette force provient de la mécanique de réalisation (*comment*). Or, posez-vous la question *POURQUOI* ? Pourquoi est-ce que je veux *vraiment* aller au gym ? Les réponses à cette question seront déterminantes dans la réalisation de l'état souhaité. Voici un exemple :

« POURQUOI ALLER AU GYM » - exemples :

1. Parce que je veux perdre du poids;
2. Parce que je veux mieux dormir;
3. Parce que je veux avoir un beau ventre plat et le garder;
4. Parce que je veux rencontrer des gens;
5. Parce que je ne veux plus être toujours essoufflé quand je monte des escaliers;
6. Parce que je veux être capable de jouer avec mes enfants (ou mes petits-enfants);
7. Parce que je veux montrer à certaines personnes que j'ai de la volonté, contrairement à ce qu'elles croient;
8. Parce que je veux avoir plus d'énergie;
9. Parce que je veux être plus souriant;
10. Parce que je veux avoir un teint radieux;
11. Parce que je ne veux pas être malade;
12. Parce que je veux être plus détendu;
13. Parce que je veux être en meilleur contrôle de mes émotions;
14. Parce que je veux être plus souple – j'ai mal quand je me penche;
15. Parce que je suis « tanné » d'avoir honte quand je suis sur la plage;

16 Parce que je veux avoir une meilleure posture;

17 Parce que je ne veux plus avoir mal au dos;

18 Parce que je veux dire et entendre « wow »
    quand j'enlève mon chandail;

19 Parce que je veux être plus performant en ski,
    en voile, en vélo et au golf.

20 Parce que je veux être plus productif;

21 Parce que je veux faire plus d'argent : il est prouvé que les gens en
    forme ont de meilleurs revenus que les personnes inactives;

22 Parce que je veux me sentir en contrôle
    et responsable de ma vie et de ma santé;

23 Parce que je veux me changer les idées;

24 Parce que je souhaite avoir le respect et
    l'admiration de mon entourage;

25 Parce que je veux donner l'exemple à mes enfants
    et à mes employés ou partenaires;

Je vous suggère de faire une liste de 50 « *pourquoi* ». Cela peut sembler exagéré au départ, mais un coup parti, les réponses viennent facilement et naturellement. Le minimum nécessaire pour avoir de bons résultats et pour tenir le coup est de 25 « *pourquoi* ». Vous pouvez faire cet exercice pour à peu près n'importe quoi (Pourquoi arrêter de fumer ? Pourquoi poursuivre mes études ? Pourquoi me lancer en affaires ?).

Pour cet exercice, faites une liste de 50 raisons personnelles, 50 *pourquoi* vous souhaitez aller au gym. Ces raisons doivent êtres authentiques. En d'autres mots, elles doivent venir de vous. Vous devez être 100% honnête avec vous-même. Les autres ne liront pas cette liste, elle est pour vous. Même si une réponse semble farfelue, rédigez-là quand même. Tout ce qui vous vient à l'esprit est bon. Parce que ce sont les *vraies* raisons, *vos* raisons.

« POURQUOI ALLER AU GYM » :

1 _____

2 _____

3 _____

4 _____

5 _____

6 _____

7 _____

8 _____

9 _____

10 _____

11 _____

12 _____

13 _____

14 _____

15 _____

16 _____

17 _____

18 _____

19 _____

20 _____

21 _____

22 _____

23 _____

24 _____

25 _____

26 _____

27 _____

28 _____

29 _____

30 _____

31 _____

32 _____

33 _____

34 _____

35 _____

36 _____

37 _____

38 _____

39 _____

40 _____

41 _____

42 _____

43 _____

44 _____

45 _____

46 _____

47 _____

48 _____

49 _____

50 _____

Vous pouvez utiliser cet exercice pour toutes les formes d'expériences dont vous souhaitez connaître les sources de motivation. Pendant les huit premières semaines d'une nouvelle fréquentation du gym, je vous suggère de revoir ces raisons (*pourquoi*) tous les jours. Comme nous le verrons dans le chapitre sur l'action, les premières 24 à 28 séances sont tout à fait déterminantes dans l'assiduité que vous démontrerez pour votre entraînement. Par la suite, lorsque votre rythme sera bien établi et que vous aurez créé une habitude dont vous serez fier, vous pourrez vous servir de votre liste pour les moments creux, lors de ces fameuses « rechutes ». Je vous recommande aussi de les remettre à jour tous les trois mois, au moment de changer votre routine d'entraînement.

TÉMOIGNAGE

Infarctus, crises d'angine (deux à trois par mois), emphysème, diabète... Je mangeais mal. Excellent fumeur, j'avais accumulé 50 livres en trop, je ne faisais aucun exercice et je prenais neuf pilules par jour pour survivre...

Mon médecin me répétait toujours les mêmes choses, mais sans effet. Un jour cependant, il a trouvé les mots magiques : « Tu peux vivre longtemps, mais comment veux-tu vivre ? ». En écoutant ses paroles, je revoyais en pensées mon beau-père diabétique à qui on avait amputé une jambe. Voilà les mots magiques qui ont changé mon attitude : qualité de vie. J'ai cessé de fumer, j'ai changé radicalement mon alimentation et, tel que mon médecin me le recommandait, j'ai commencé à faire de l'exercice. Il m'a expliqué qu'en faisant de l'exercice, se développerait dans mes muscles quelque chose qui ferait le travail que mon pancréas refusait de faire... et cela a fonctionné !

Nous sommes à la fin novembre 2001 et je commence mon programme d'exercices. Rien de compliqué, je marche à l'extérieur 45 minutes par jour. Cependant, j'ai vite découvert qu'il faisait très froid à l'extérieur ! Le froid doit fort probablement me donner des idées, puisque c'est à ce moment que j'ai pensé à Énergie Cardio. Je me suis donc inscrit en décembre 2001 et depuis cette date, je m'entraîne sept jours par semaine. Au départ, je marchais 20 minutes sur le tapis roulant à trois milles à l'heure et je faisais du vélo stationnaire pendant dix minutes. Aujourd'hui (novembre 2004), je peux courir pendant 42 minutes à sept milles à l'heure et faire 20 minutes de vélo, résistance cinq, ainsi que cinq minutes de musculation. Mon bilan de santé aujourd'hui : je suis passé de deux à trois crises d'angine par mois à seulement deux légères dans la dernière année complète. De plus :

- Mon emphysème est stable;
- Mon taux de sucre (5) se contrôle parfaitement, sans médication;
- J'ai perdu 56 livres;
- Je ne fume plus;
- Je suis passé de neuf à deux pilules et demi par jour;
- Je respire beaucoup mieux, j'ai plus de souffle et beaucoup plus d'endurance.

Pourquoi je continue :

- La compétence;
- Le sourire;
- La gentillesse des entraîneurs;
- Leurs encouragements et leur soutien continus, qui me motivent au plus haut point;
- Et une autre bonne raison : les résultats obtenus!

Je profite de l'occasion pour leur dire MERCI !

Ah! J'oubliais de vous dire que j'aurai 65 ans dans un mois (fin 2004)! J'y pense peut-être moins maintenant, car je me sens beaucoup plus en forme...

Jean-Claude Morin

CHÂTEAUGUAY

POURQUOI NE PAS ALLER AU GYM ?

« Si tu fais toujours ce que tu as toujours fait, tu auras toujours ce que tu as toujours eu. »

Aristote
philosophe
et scientifique grec,
384-322 av. J.C.

Si la question pourquoi aller au gym se pose, la question inverse est également légitime. Or, pourquoi NE PAS aller au gym ? Ma première réaction est de répondre : pourquoi pas ?

Il existe toujours un envers à une médaille. En fait, quelle est l'autre option ? C'est-à-dire celle de ne pas y aller ? C'est un choix. Mais quelles en sont les conséquences ? Embonpoint ou obésité ? Malaises ou maladies cardiaques ? Manque d'estime de soi ? Cercle d'influences aussi apathique que soi – vous ne rencontrez peut-être pas les meilleures personnes pour vous ? Moins d'avancement au travail ? Risques de diabète ? De dépression ? Sentiment de rejet ? Certitude de visiter plus rapidement et plus souvent que les autres ces lieux morbides que sont les hôpitaux ? Problèmes de sommeil ?

Imaginez une personne qui a développé un problème de consommation d'alcool. Le premier jour, elle se réveille avec la « gueule de bois ». Ça passe, surtout si c'est un dimanche matin. Ensuite, la fréquence augmente à deux et trois fois par semaine. C'est désagréable. Plus tard, ça finit par être chaque jour et c'est aussi devenu une manière de vivre. La sédentarité se développe également au fil du temps, de façon relativement lente et insidieuse. On commence par avoir un surplus de stress, de poids et plus de difficulté à se concentrer et à dormir. On devient plus irritable. À un moment donné de sa vie, c'était du nouveau tout ça. Mais après des années, c'est devenu une « réalité » et on peut même finir par croire que c'est normal. Semblable à la gueule-de-bois, on peut développer le « corps-de-bois ».

Les personnes aux prises avec ces problèmes n'ont pas à demeurer prisonnier de ce mode de vie. Tout est mis en place afin de les aider à sortir de cet état anormal et désagréable qu'est leur style de vie sédentaire. À l'heure actuelle, on consomme beaucoup plus que ses besoins et on ne dépense, par conséquent, qu'une maigre quantité de calories. Vous connaissez le résultat. Nous vivons dans la société XXL. Et ce n'est plus seulement un cas isolé américain. Les Canadiens semblent avoir menti sur leur poids et leur condition physique et ont ainsi biaisé les récentes données statistiques sur le sujet. En fait, nous figurons parmi les peuples les plus obèses au monde. Et les jeunes ont un rôle important à jouer dans ce classement peu enviable. Le phénomène est observable de par le monde entier. Ces Français, reconnus pour leur taille svelte, sont eux aussi en proie à la « McDonalisation » mondiale. Selon l'Organisation mondiale de la santé, deux Québécois sur trois ne font pas assez d'exercice. Les malaises ou maladies hypokinétiques (problèmes de santé reliés à un mode de vie sédentaire) apparaissent à un rythme effarant : muscles qui s'atrophient, os moins forts, surpoids et coeur fatigué. Une recherche a clairement démontré que les personnes sédentaires sont plus souvent malades, coûtent plus cher à la société en terme de frais médicaux et vivent moins longtemps que les personnes physiquement actives. Le risque de décès prématuré, toutes causes confondues, est plus élevé d'environ 40% au sein de cette frange de la population. On pourrait peut-être même parler d'une nouvelle cause de décès : la mort sédentaire (source : *La Presse*, Montréal, 22 mai 2005 – Richard Chevalier).

UNE EXCUSE OU UNE RAISON

« La difficulté est l'excuse que l'Histoire
n'accepte jamais. »

Edouard R. Murrow,
journaliste et diffuseur

Trop souvent, toutes les raisons semblent être bonnes pour éviter de se rendre au gym. Ceux qui sont ou ont déjà été abonnés connaissent ce sentiment, ce moment où toutes les excuses traversent l'esprit une fois en route après le travail ou à l'heure qui précède une visite prévue au gym. Il s'avère parfois pathétique de porter attention au dialogue interne entre le cœur et la raison : « J'suis fatigué, j'vais y aller demain… demain j'vais avoir plus de temps… et puis de toute façon, je n'ai pas manqué une seule séance depuis un mois… je mérite bien une pause… faut pas devenir fou ! ». Et l'esprit rationnel qui rétorque : « Ben voyons Julie, qu'est-ce qui se passe avec toi ? C'est quoi cette attitude-là ? T'aimes ça aller au gym pourtant… et puis ton bikini… pis tu l'sais que tu dors comme un ange après… es-tu en train de devenir paresseuse… ? Rappelle-toi, bien souvent, tu te sens fatiguée avant d'y aller et après, te voilà calme et reposée… enwoye… go, vas-y, tu vas être fière de toi après ! ». Cette guerre cérébrale entre le sage et le démon peut durer toute une vie si l'on ne dispose pas suffisamment de *pourquoi* puissants et si l'on n'a pas développé de nouvelles habitudes et une routine propre, comme celle qui consiste à se brosser les dents. Le mental veut constamment avoir raison. Or, si votre corps et votre esprit sont convaincus des bienfaits d'aller au gym – parce que vous l'avez expérimenté assez souvent dans votre vie – votre décision s'en trouvera influencée à tout coup. Par contre, si vous accordez plus de valeur à une sortie au cinéma, à la télé ou au visionnement d'un film, à un repas au restaurant ou à un 5 à 7 endiablé, le combat interne sera plus intense et plus difficile à remporter.

Une bonne « raison » de ne pas aller au gym, parce qu'il y en a bien entendu, consiste en un événement qui est de force majeure et tout à fait incontrôlable. Par exemple, si l'un de vos enfants se blesse ou tombe sérieusement malade et que vous devez rester à son chevet, ou encore s'il fait tempête à l'extérieur et qu'il est risqué de se promener sur les routes. Pour ce qui est des excuses, par contre, elles ne peuvent ressembler à des raisons que si l'on s'en convainc soi-même. Par exemple, les gens qui arrivent en retard au travail ont toujours la même raison, qui est en soi une excuse pure et simple : la circulation ! « Excusez-moi d'être en retard, patron, mais il y avait beaucoup de « trafic » ce matin ». Entre vous et moi, c'est quand la dernière fois que vous avez vu les routes fluides à l'heure de pointe le matin autour de Montréal et de Québec ? Invoquer cette excuse en prétextant qu'il s'agit d'une bonne raison est totalement inacceptable. Il y a – et y aura toujours – des bouchons de circulation le matin, avant d'aller travailler. Il suffit de prévoir en conséquence, en quittant (encore) plus tôt ou en modifiant son horaire de travail, etc. Mais de grâce, ne mettez pas votre propre irresponsabilité sur le dos d'un événement que vous êtes en mesure de contrôler.

Bien que la vie soit parsemée d'embûches de toutes sortes, il existera toujours une différence entre les gens qui réussissent le mieux ce qu'ils entreprennent et les autres : la capacité de distinguer une excuse d'une raison, d'être responsable de ses résultats plutôt que victime des circonstances. Qui ne connaît pas une belle-sœur ou un collègue de travail qui se plaint constamment d'être fatigué, débordé ou enrhumé ? On dirait que le mauvais sort s'acharne sur cette personne comme si c'était une vengeance que la vie avait entreprise contre elle.

La question se pose donc ainsi : être fatigué ou débordé, est-ce une *excuse* ou une *raison* ? La réponse est claire : c'est une excuse. On choisit délibérément de fuir son engagement à pratiquer des activités physiques en feignant la fatigue ou le manque de temps, qui ont de plus en plus le dos large, n'est-ce pas ?

TÉMOIGNAGE

Je suis âgé de 35 ans et j'ai accumulé, dans les cinq dernières années, un excès de poids de 50 livres pour deux raisons :

- ▶ J'ai cessé de fumer (il y a cinq ans);
- ▶ Je travaille sur la route.

Ça faisait longtemps que l'idée de m'entraîner me trottait dans la tête. Le manque de temps et de motivation ont longtemps repoussé ma démarche. Il en est de même pour mes habitudes alimentaires. Cependant, la situation n'allait pas en s'améliorant : je devenais à bout de souffle rapidement et de moins en moins à l'aise avec mon apparence et mon tour de taille. J'ai finalement pris la décision de me présenter au Énergie Cardio de Lafontaine. J'étais déterminé à faire des efforts afin de réussir. Ma peur des centres d'entraînement était d'avoir l'impression de ne pas être à ma place. Cependant, Francis et son équipe m'ont rapidement fait sentir chez moi. L'entraînement privé a été la clé de mon succès, car on est suivi sur une base régulière, on a un programme adapté à ses besoins, et surtout, une source inestimable de motivation.

C'est toujours plus facile d'être motivé par quelqu'un que de se motiver soi-même. Par le fait même, les résultats sont remarquables. Après huit semaines, j'avais 23 livres en moins, je n'avais raté aucun entraînement, je me sentais en bien meilleure forme physique et... je m'étais fait de nouveaux amis! Un petit mot sur les entraîneures qui m'ont suivi dans ma démarche... Marie-Josée et Valérie... Elles ont su faire de mon entraînement un rendez-vous que je ne voulais pas manquer. Elles ont un dynamisme inégalé, un bon sens de l'humour et malgré leur jeune âge, une bonne dose d'expérience dans le domaine de l'entraînement; je me sens en confiance. Encore une fois merci à toute l'équipe d'Énergie Cardio, et soyez sûr que je vais continuer à m'entraîner afin d'atteindre mon but personnel (encore dix-huit livres à perdre) et afin de continuer à côtoyer des gens aussi agréables que vous.

Martin Demuy

LAFONTAINE

POUR EN FINIR AVEC LES EXCUSES

« QUE VOUS Y CROYIEZ OU NON, VOUS AVEZ TOUJOURS RAISON »

HENRY FORD, FONDATEUR, FORD MOTOR COMPANY

Voici des *excuses* fréquentes qu'on entend parfois résonner dans notre esprit et ce, dans les moments les plus cruciaux. Voici également ce que je vous propose de considérer avant de laisser ces démons intérieurs prendre le contrôle de votre vie :

« C'EST « PLATE » S'ENTRAÎNER SUR DES MACHINES »

« Rien ne peut arrêter l'Homme qui possède

la bonne attitude mentale; rien ne peut aider

l'Homme avec la mauvaise attitude mentale. »

Thomas Jefferson
troisième président des états-unis

Pendant des années, je me suis posé la question « Pourquoi devrait-on s'entraîner à l'aide d'appareils ? ». Cela ne me semblait pas très « naturel ». Je savais bien que nos ancêtres, jusqu'à l'homme préhistorique, n'avaient pas accès à ces technologies. Et pourtant, ils réussissaient à garder la forme. Je me suis alors rappelé qu'entre ma génération et celle des hommes de la préhistoire, il y a eu mon grand-père paternel qui, dans la campagne de l'Estrie et de la Montérégie du début du siècle dernier, utilisait des tubes de pneus de camions pour sculpter son corps. Plus tard, dans les années 1940, il a été l'un des premiers à s'entraîner au gym de Montréal, le Palestre National. Il y a entre autres côtoyé de grands athlètes québécois et jusqu'à sa mort à 73 ans, il n'a jamais cessé d'être sérieusement actif et sportif. Il faisait encore ses 100 pompes par jour à cet âge, ainsi que des randonnées de vélo variant de 35 km à 80 km. Il n'a jamais eu de « bedaine », même pas un ventre. C'était important pour lui d'être svelte et en santé. Il a donc eu recours aux meilleurs moyens à sa portée pour atteindre les résultats qu'il souhaitait. S'il avait été de ma génération, je suis convaincu que, comme vous et moi, il aurait été membre d'un réseau comme celui d'Énergie Cardio.

Il ne faut pas oublier aussi qu'il est cohérent et légitime d'utiliser différemment la technologie disponible – qui, soit dit en passant, est en grande partie responsable du haut niveau de sédentarité – même dans les centres de conditionnement physique avec tous leurs nouveaux appareils et leurs programmes de groupe innovateurs.

Une variété d'appareils de plus en plus perfectionnés dans les clubs d'entraînement vous aideront à découvrir le plaisir de s'entraîner dans un gym. En bonne créature d'habitudes qu'est l'être humain, j'ai passé des années à n'utiliser que le vélo stationnaire pour m'échauffer et le tapis roulant pour

mon entraînement cardiovasculaire. À la suite d'une blessure au genou surve-
nue en ski alpin, j'ai récemment été forcé d'arrêter temporairement la course.
Mon entraîneur personnel Steve m'a alors recommandé l'elliptique, appareil
qui permet un exercice complet (assez oui, merci…!) et qui offre l'avantage
de ne causer qu'une résistance négligeable au genou. Non seulement j'ai pu
poursuivre mon programme d'entraînement en veillant à la bonne guérison
de ma blessure, mais j'ai aussi redécouvert mon centre qui, pour moi, n'avait
plus de secrets. Aujourd'hui, mon genou est guéri et je profite de cette nouvelle expérience pour briser la routine en choisissant un appareil différent
lorsque le cœur m'en dit, ou ne m'en dit plus.

« ÇA COÛTE TROP CHER »

Aller au gym est non seulement un investissement pour sa santé, son
bien-être et sa qualité de vie en terme de temps, de discipline, et d'efforts,
mais c'est aussi un investissement financier. L'importance du coût est relative
en regard du revenu disponible de chacun. Par contre, la question qui devient
de plus en plus présente aujourd'hui, au Québec, est « Quel est le prix de ne
PAS aller au gym ? » En juin 2005, la cour suprême a autorisé la création d'un
service privé de santé, le fameux réseau de santé à deux vitesses. Le gouver-
nement a annoncé des coupures dans les régimes de retraite. Dans certains
pays scandinaves, on refuse aux fumeurs le droit de se faire soigner avec des
fonds publics. Ainsi, les « accrocs » de la cigarette doivent-ils défrayer eux-
mêmes le coût de leurs traitements onéreux. Au Québec, la population vieillit
et il est clair qu'avec moins de payeurs de taxes et davantage d'aînés vivant
de plus en plus en plus vieux, on doit s'attendre à consacrer la plus grande
partie de ses impôts et de son budget de retraite – même les jeunes seront
tenus de contribuer – à tous les services associés au système de santé. Alors,
c'est quoi l'option ? Quiconque a la moindre vision à moyen ou long terme
et un soupçon d'intelligence fera le premier pas, dès aujourd'hui. Et puis en
plus, on se sent tellement bien après s'être entraîné au gym. Beaucoup mieux
qu'après avoir séjourné à l'hôpital ou s'être rendu à la clinique médicale du
coin. De plus, le coût pour un mois d'abonnement est souvent moins élevé
qu'une seule sortie au restaurant.

« JE SUIS TROP FATIGUÉ »

« RIEN N'EST SI DIFFICILE DANS LA VIE QUE NOUS NE PUISSIONS LE RENDRE PLUS FACILE PAR LA FAÇON DONT ON LE PREND. »

ELLEN GLASGOW
ROMANCIÈRE

J'avoue que celle-là m'est très familière. Et je dois admettre qu'elle n'est pas facile à gérer ! Chacun a sa façon de négocier avec cet état et je vous laisse le soin d'agir en utilisant votre jugement à bon escient. Rappelez-vous que le but de l'entraînement n'est pas de connaître l'épuisement mais plutôt de l'éviter. Je ne vous entretiens donc pas à propos d'épisodes périodiques où l'on choisit de remettre au lendemain et de faire deux visites consécutives au gym pour respecter le nombre de visites fixé. Je parle ici de l'excuse chronique rejetée sur le dos de la fatigue. On la connaît, celle-là ! Pas facile. Mais pour être moins fatigué, pour disposer de plus d'énergie durant la journée, pour avoir un meilleur sommeil plus réparateur, une meilleure digestion, une plus grande concentration pour le travail (qui permet de réduire le travail supplémentaire, d'atteindre plus facilement ses objectifs et donc d'être moins fatigué à long terme) il n'y a pas de secrets, il faut se livrer à des activités sportives. Il faut aller suer. Il faut bouger.

Chaque fois que je suis allé au gym malgré mon corps qui me disait « Non, va pas là… va te reposer… tu es fatigué… je veux aller me coucher… souper, prendre un verre de vin et regarder un film allongé sur le sofa… », je suis toujours reparti détendu, frais et dispo. Je ne suis jamais sorti du gym en me disant « Je n'aurais pas dû venir ! ». Au contraire, si on se laisse gagner par la fatigue, c'est plutôt la phrase « J'aurais dû y aller » qui revient hanter son esprit. Après y avoir été, j'ai toujours applaudi ma volonté puisque cela me donne plus d'énergie et la sensation obtenue est merveilleuse et unique.

L'un des facteurs qui peut motiver une visite au gym malgré la fatigue réside dans la diminution de l'appétit après une séance d'entraînement, ce qui est franchement un avantage lorsque l'on veut perdre du poids et conserver un haut niveau d'énergie et de vitalité. De plus, le goût pour la malbouffe – une autre source d'épuisement du système – s'amenuise considérablement. On devient de plus en plus sensibilisé aux conséquences parce qu'on ne souhaite pas balancer tous ses efforts en allant se bourrer d'aliments riches en gras trans et en sucres raffinés, ennemis de ses objectifs et des efforts fournis durant la semaine.

On peut donc abdiquer et porter le genou par terre pour se laisser prendre à cette fausse fatigue et courir le risque de l'entretenir en évitant perpétuellement ses séances d'activités physiques cruciales à la vitalité. On peut aussi faire le pari de la discipline en « retardant la satisfaction », comme le disait si bien Dr Scott Peck dans son méga best-seller international *Le chemin le moins fréquenté*.

Et rien n'empêche, si on est vraiment fatigué, de « tricher » un peu avec son entraînement. Grâce à l'éloquent conseil de mon entraîneur Steve, je profite de mes moments de lassitude pour effectuer des séances d'entraînement cardiovasculaire, des étirements et des exercices pour les muscles abdominaux. Je bénéficie de certains résultats et je préserve le rythme et la discipline. Je suis fier de moi car je n'ai pas interrompu mes présences régulières et je parviens à enrayer ma fatigue après l'entraînement. Je dors aussi beaucoup mieux.

LA FATIGUE N'A PAS DE MÉMOIRE

Même si vous étiez extrêmement fatigué lors d'un événement important dans votre vie (voyage, célébration, mariage, etc.), je suis convaincu que, comme moi, vous ne vous souvenez pas de cette fatigue mais plutôt du moment magique en question. Il est même possible de « repousser » sa sensation de fatigue. En effet, la prochaine fois que vous souffrez d'un manque de sommeil ou d'une accumulation de fatigue et que vous avez à effectuer une tâche ou à participer à un événement, tentez l'expérience suivante : reportez votre fatigue à plus tard ! Par exemple, si vous devez vous rendre à un souper important et que quelques heures avant vous êtes envahi par le désir d'aller vous reposer, « donnez rendez-vous » à ce dernier après le souper en question. Faites la même chose lorsqu'il est temps de respecter votre visite au gym.

« JE N'AI PAS LE TEMPS »

> « RAPPELEZ-VOUS LES JOURNÉES OÙ VOUS ÉTIEZ EXTRÊMEMENT SATISFAIT À LA FIN DE CELLES-CI. CE NE SONT PAS LES JOURNÉES OÙ VOUS ÉTIEZ ASSIS À NE RIEN FAIRE; C'EST LORSQUE VOUS AVIEZ TOUT À FAIRE ET QUE L'AVEZ FAIT. »
>
> MARGARET THATCHER
> ANCIENNE PREMIÈRE
> MINISTRE BRITANNIQUE

On dispose tous de 24 heures par jour, chaque jour de sa vie. Pourquoi certaines personnes aux prises avec de grandes responsabilités trouvent toujours du temps pour être en famille, rencontrer des amis, voyager et aller au gym, alors que les individus coupables de faibles accomplissements dans leur vie semblent toujours à court de temps ? Mystère !

Étudiant au secondaire, j'étais inscrit dans une école qui constituait, à l'époque, une sorte de laboratoire pour une nouvelle formule horaire, soit l'horaire modulaire. Bien que ce fut tragique pour certains écoliers déjà enclins à pratiquer l'école buissonnière, il n'en demeure pas moins qu'il s'agissait de l'une des plus grandes leçons de vie et de gestion des priorités que j'ai reçue au cours de ma vie. La journée était divisée en modules de 20 minutes.

Même si chaque étudiant devait se manifester à la prise de présence du matin à 8h30, le premier cours pouvait n'être qu'à 14h00 de l'après-midi. L'espace entre les deux était destiné à accomplir ses travaux et son étude et/ou de rencontrer certains enseignants dans les différents centres de ressources prévus à cette fin. Je me souviendrai toujours de ce discours prononcé par Madame Jocelyne Chaussé, la directrice de mon niveau alors que j'étais en troisième secondaire. Elle nous avait rappelé à quel point chacune des plages de temps libre était importante et qu'il ne fallait surtout pas les négliger, même les plus courtes qui comptaient seulement 20 minutes. Elle nous avait dit qu'avec un bon niveau de concentration, il était possible d'accomplir beaucoup en cette courte période. Et elle avait raison. Grâce à cette réalisation, je rapportais très rarement des travaux et des devoirs à la maison. C'était à mon avantage puisque je pouvais en profiter pour assister à mes cours de sauvetage et aux pratiques pour les spectacles d'humour que je préparais à cette époque et qui se tenaient le soir. Au CEGEP, j'étais membre étoile de l'équipe d'improvisation, je faisais partie de l'équipe de natation et je continuais à monter des spectacles. C'est aussi l'année où j'ai obtenu les meilleurs résultats scolaires de mes 17 années de vie étudiante.

Il existe une corrélation de plus en plus évidente entre la pratique régulière d'activités physiques et l'acuité mentale, le niveau de concentration, la productivité et la vitalité. Le fait de ne jamais avoir le temps est une question de choix dans ses priorités. Si une bonne santé fait partie intégrante de vos valeurs les plus importantes et que vous ne faites rien pour réaliser cette dimension de votre vie, vous devez vous attendre non seulement à être en mauvaise santé, mais à être frustré, irritable et malheureux. Le paradoxe de la vie moderne réside dans le choix de ses actions qui entre parfois complètement en opposition avec ses valeurs intrinsèques. Si votre santé ne vous est pas importante et que vous êtes essentiellement sédentaire, eh bien aucun conflit ne se présente entre vos valeurs et vos actions. Mais posez-vous la question suivante : est-ce que mes valeurs concordent avec mes actions ? La réponse à cette simple mais fondamentale question vous donnera d'autres réponses sur le sens de votre vie et sur la satisfaction que vous en retirez.

Demandez-vous ce qui vous empêche d'avoir le temps, comme vous le dites. Est-ce que c'est le boulot ?

UN EXEMPLE

Gilles a 44 ans. Il est un haut dirigeant d'entreprise qui, au lieu de prendre une heure et demie pour le lunch, choisit de se rendre au gym. Pour casser la routine, il va parfois jogger à l'extérieur et retourne au gym pour la douche. Son niveau d'énergie est toujours au maximum et il garde la forme. Le soir, il peut rentrer chez lui l'esprit en paix. C'est son choix de vie.

Est-ce possible pour vous de vous rendre au gym le matin ou le midi au lieu d'attendre le soir ? La plupart des établissements ouvrent leurs portes dès 6h30. Il est prouvé que le taux de productivité augmente à la suite de la pratique régulière d'activités physiques. Peut-être ce gain pourrait-il suffire à créer l'espace nécessaire dans votre horaire et vous permettre de poursuivre un programme dans un gym.

Est-ce que ce sont les activités sociales comme les cocktails ou les 5 à 7 qui vous enlèvent du temps ? Si c'est le cas, je connais ça. Ce n'est pas facile de refuser. Par contre, il est possible de faire les deux. Prenez l'exemple de Gerry, 50 ans, qui est un modèle d'endurance, de discipline et de persévérance pour moi et plusieurs de ses amis. Il a été presque toujours de la partie dans nos fameux 5 à 7 alors que j'étais à l'emploi de Xerox. Il arrivait après tout le monde car il allait s'entraîner avant. Vous savez comme moi qu'un 5 à 7, ça ne se termine pas à 19 heures ! Et il ne prenait qu'une bière. Ensuite, il se mettait à l'eau. Gerry a un tonus musculaire impressionnant, une force mentale saisissante et… il n'a pas de bedaine !!

« JE NE VEUX PAS ALLER LÀ TOUT SEUL »

Pendant des années, j'allais m'entraîner avec un ami. Et c'est vrai qu'il est délicat de manquer une visite lorsqu'on s'est engagé vis-à-vis de quelqu'un. Je vous conseille de trouver un partenaire avec qui vous rendre au gym. Par contre, si vous ne connaissez pas cette personne et que vous tenez à être accompagné, au moins trois options s'offrent à vous :

1. Inscrivez-vous à un programme de groupe (danse aérobique, cardio tae-boxe, step, Énergie Yoga, etc.);

2. Utilisez les services d'un entraîneur personnel;

3. Posez une annonce sur le babillard de votre centre en prenant soin de mentionner le profil de la personne recherchée;

Et si tel est vraiment votre désir, n'oubliez pas que vous allez faire plusieurs connaissances et vous retrouver « en famille », à chaque séance. Et il y aura aussi ces moments où vous aurez besoin d'être seul et où chacun respectera votre choix.

« JE SUIS TROP VIEUX »

De récentes recherches ont démontré que même à un âge aussi avancé que 92 ans, on pouvait encore réussir à développer un muscle. Une « jeune » femme dont il est question dans l'une de ces études a pratiqué certains exercices de musculation pendant plusieurs semaines. Son tonus musculaire s'est effectivement amélioré sans danger, sans compter que sa masse osseuse a aussi pris du volume. Ce dernier facteur est important pour diminuer les risques de fractures qui augmentent avec l'âge en raison de l'ostéoporose.

Un conseil : allez vous acheter des magazines spécialisés en conditionnement physique et notez bien l'âge de certains des modèles de ces revues. L'adage le dit, une image vaut mille mots; une seule peut vous en convaincre. En plus de l'exemple de mon grand-père et de mon ex-collègue Gerry, s'ajoute celui de Phil Rabinovitz, cet homme de 100 ans qui, en août 2004, a remporté – et fracassé le record mondial par surcroît – la course de 100 mètres pour… les 100 ans et plus! Une telle compétition prouve qu'il n'est pas le seul! Incroyable mais vrai. Phil Rabinovitz marche tous les jours plus de 3 kilomètres afin de se rendre à l'entreprise de sa fille pour l'aider avec sa comptabilité (!)

Je suis âgé de 74 ans. Pour moi, l'entraînement chez Énergie Cardio, à raison de trois fois par semaine, combiné à une alimentation saine et équilibrée, me permet d'avoir une excellente qualité de vie et d'être actif tous les jours de la semaine. N'oublions pas que notre corps est fait pour bouger. Tous nos muscles ont besoin d'être entraînés. Si nous les oublions, ils s'endorment et plus nous vieillissons, plus ils sont difficiles à réveiller, voire ne se réveillent jamais. Alors là, c'est la vieillesse dans le vrai sens du mot. J'apprécie aussi l'esprit de camaraderie qui règne au gym ; tout le monde est de bonne humeur ! C'est l'endroit rêvé pour se faire des amis.

Aurèle Lefrançois

SAINT-HYACINTHE

ÇA FAIT TROP LONGTEMPS QUE JE SUIS INACTIF »

« LE CORPS S'ADAPTE. »

JOSÉE LAVIGUEUR,
ÉDUCATRICE PHYSIQUE

Le corps s'adapte. Cette phrase magique, Josée Lavigueur la répète depuis des années dans ses nombreuses chroniques. C'est ce qui m'a permis de croire que je pouvais me relever d'une période d'inactivité importante due à la maladie qui m'a frappé il y a quelques années. Et Josée avait raison. Je vous suggère de consulter votre médecin et/ou un entraîneur compétent afin de vous assurer un suivi professionnel qui vous permettra de retrouver la flexibilité, la vitalité et la force perdues.

« J'AI PEUR QUE LES GENS SE MOQUENT DE MOI »

« Le doute, peu importe sa nature,

peut être arrêté grâce à l'action. »

Thomas Carlyle,

philosophe et auteur

La beauté de la pratique de l'activité physique dans un gym est que nul n'a besoin d'habiletés particulières pour s'y prêter. On peut apprendre à se servir de n'importe quel équipement ou à effectuer tout mouvement en moins d'une heure. Et il y a des conseillers sur place pour aider les personnes moins familières avec les appareils.

Si votre crainte se situe au niveau de votre apparence physique qui vous cause problème, dites-vous que la plupart des gens entretiennent des complexes vis-à-vis de leur personne. Les membres des centres de condition physique y vont bien souvent, eux aussi, pour améliorer leur silhouette. Ce ne sont pas tous des mannequins; toutefois, après quelques semaines d'exercices, ils dégagent déjà une beauté bien réelle que vous présenterez vous aussi : celle de la santé.

La seule personne qui peut juger de votre véritable situation, c'est vous-même. Vous ne connaissez pas l'historique de chacun dans ces centres. Mon entraîneur personnel a aujourd'hui des muscles bien découpés. Quelques années auparavant, il était rond, très rond, complexé, et un peu enragé de sa situation. Il a fallu qu'il commence à s'entraîner quelque part, non ? De toute façon, la plupart des gens qui choisissent d'aller au gym ont su fournir les efforts nécessaires pour continuer à s'y rendre régulièrement. Ces derniers ne peuvent éprouver qu'une seule chose pour les gens qui prennent leur vie en main : du respect !

UNE QUESTION D'ATTITUDE

« LA PLUS GRANDE DÉCOUVERTE DE TOUS LES TEMPS EST QUE L'HOMME PEUT LITTÉRALEMENT TRANSFORMER SA VIE EN CHANGEANT SON ATTITUDE. »

JAMES ALLEN,
AUTEUR,
L'HOMME EST LE REFLET
DE SES PENSÉES

À travers toutes mes observations des gens qui réussissent, persiste ce fameux dénominateur commun : l'attitude ! Ces gens savent prendre la responsabilité de leur choix et en mesurer les conséquences. Tout le monde est « occupé », tout le monde est fatigué en fin de journée, tout le monde a des choses à faire à la maison, dans sa nouvelle entreprise (je pense surtout aux travailleurs autonomes). Les mêmes circonstances se présentent sensiblement de la même manière chez les uns et chez les autres. La différence est ce que l'on fait avec. C'est vous qui décidez !

■ ■ ■ ■ ■

LA PRÉPARATION :
ÊTRE PRÊT ET ORGANISÉ

« L'HOMME QUI SE PRÉPARE À ALLER NULLE PART Y

PARVIENT GÉNÉRALEMENT. »

DALE CARNEGIE
AUTEUR ET FORMATEUR

QUEL GYM CHOISIR ?

Dans les quatre coins de la province, une multitude d'établissements offrent les installations, les services et les équipements décrits dans ce guide. Certaines régions ont même le privilège de compter plusieurs centres à quelques kilomètres à la ronde. En ce qui me concerne, une première succursale d'Énergie Cardio est située à 8 minutes de ma résidence – qui est aussi mon lieu de travail – alors que la deuxième n'est qu'à 12 minutes. Je ne peux donc pas me servir, pour manquer à mon engagement, de l'excuse selon laquelle le gym est trop éloigné de mon lieu de travail ou de mon salon.

PRÈS DE LA MAISON OU DU TRAVAIL

Voilà un des premiers critères à considérer lors du choix du gym auquel on décide d'adhérer. En effet, dans le but de devenir assidu et constant dans ses visites, il est important que la distance ne devienne pas un obstacle. Certains membres préfèrent s'y rendre le matin avant le boulot, d'autres à l'heure du lunch, tandis que la plupart se réservent la période suivant la journée de travail afin d'aller pratiquer leurs activités préférées au gym.

LES ATOMES CROCHUS

Un autre critère à considérer, et qui est souvent négligé, est la chimie qui naîtra – ou non – entre vous et l'établissement. Mesurez l'ambiance, l'atmosphère, la propreté, les personnes ressources, la clientèle, l'état des lieux et l'âme du centre, quoi! Est-ce que tous ces éléments – souvent difficiles à évaluer d'emblée – vous conviennent ou non? Il est important de se fier à sa première impression. Si le centre ne vous inspire pas et si vous ne vous y sentez pas « chez vous », il est fort à parier que ce seront des facteurs qui s'ajouteront à la difficulté de relever le défi que vous vous êtes fixé. Vous devez être séduit par le centre et par son personnel. Étant de nature timide, j'ai remarqué que j'éprouve toujours un sentiment d'inconfort lorsque je me joins à un nouveau gym. Par contre, il ne me suffit que de quelques visites ou de quelques semaines pour que ce lieu devienne « mien ». Il ne faut donc pas confondre l'inconfort tout à fait normal provoqué par la nouveauté avec le sentiment réel de ne pas être à sa place. Je vous conseille de visiter votre gym ou encore mieux, de faire un essai avant de vous y inscrire et de le faire à l'heure de la journée où vous pensez que vous irez vous entraîner par la suite. De cette façon, vous pourrez vraiment déterminer si cet endroit vous plaît.

JE L'AIME MON GYM!

Rien de mieux que d'aimer son gym sans réserves. Le fait d'avoir le goût d'y aller pour la qualité des installations, des appareils, des instructeurs, des cours de groupes, des entraîneurs, et des clients, qui deviennent très souvent des amis, est le meilleur scénario qui puisse vous aider à garder la motivation. Certains centres offrent des services qui peuvent vous séduire, dépendamment de ce que vous recherchiez initialement. Par exemple, mon centre possède un petit sauna dont presque personne ne se sert. J'adore pouvoir me relaxer un bon moment après une séance intensive qui a rendu mes muscles et mes poumons gonflés de sang. Voilà une des raisons pour laquelle j'aime aller au gym, et particulièrement à celui-ci.

MERCI PETITS BUDGETS

Détail non négligeable, le budget. Eh oui, il y a un prix à payer pour d'excellents services ainsi que pour l'aménagement et l'équipement du gym. Il est toutefois moins dispendieux et plus motivant de s'inscrire à un gym que de s'équiper chez soi. Qui plus est, les équipements destinés à l'usage commercial possèdent une programmation diversifiée, sont confortables à utiliser et sont à la fine pointe de la technologie. Le tarif pour l'abonnement ne doit toutefois pas être un obstacle. Vous empêcher d'aller au gym de votre choix parce que celui-ci est « trop dispendieux » ne devrait pas être une excuse.

Plusieurs personnes se plaignent que leur budget ne leur permet pas de s'abonner à un gym qui demande un investissement de 40 dollars par mois. Pourtant, il m'est arrivé à plusieurs reprises, parfois même au cours du même mois, de surprendre ce genre de personnes en train de défrayer le coût de plusieurs additions au restaurant. Il s'agit d'une excuse, dans ces cas-là, et non plus d'une question de budget. Il en va de même pour plusieurs autres dépenses au cinéma (où il faut compter le stationnement, la gardienne et le maïs soufflé…), chez le coiffeur ou l'esthéticienne, dans les boutiques où l'on achète des vêtements qu'on ne porte que deux fois, dans les bars et les 5 à 7, etc. Il y a souvent beaucoup plus de place qu'on ne le croit pour la section « gym » dans le budget.

C'EST UNE CENTAINE POUR LE PRIX D'UN

Puisque j'ai à voyager lorsque je donne mes conférences, j'ai choisi Énergie Cardio pour m'entraîner. Non seulement les tarifs d'abonnement se situent parmi les plus accessibles au Québec et restent les mêmes partout à travers la province, mais un abonnement à Énergie Cardio donne de plus accès au plus grand réseau de clubs d'entraînement au Québec. Au moment d'écrire ces lignes, les centres Énergie Cardio se comptent au nombre de 80 gyms. Encore moins d'excuses !

QUAND ALLER AU GYM ?

Voilà une grande question. Plusieurs adeptes cherchent encore quel est le meilleur moment pour aller au gym. Les réponses se multiplient selon les différents types de personnes. Par contre, je vous suggère de considérer les points suivants afin de vous aider dans votre démarche :

- **Se bloquer du temps** - Tel que nous le verrons dans un prochain chapitre, rien de mieux que de se créer une *habitude* afin de rendre les visites plus naturelles. Le meilleur point de départ consiste à bloquer un espace-temps dans son horaire. Si vous avez choisi de vous entraîner trois fois par semaine, déterminez d'avance à quel moment durant la semaine – toutes les semaines – vous irez au gym. Par exemple, inscrivez dans votre agenda ou planificateur que les lundis, mercredis et vendredis de 18 heures à 19 heures trente sont réservés à vos séances. Il n'est pas rare de faire des sacrifices pour le dentiste ou le garagiste. Alors pourquoi ne prenez-vous pas rendez-vous avec votre mieux-être ? (rappelez-vous vos *pourquoi*)… Les ordinateurs de poche et autres agendas électroniques actuels (Palm, Treo, Blackberry) permettent de créer des rendez-vous à répétition. Personnellement, c'est ce que je fais et je planifie mon horaire et mes autres engagements autour de ces plages de temps déjà définies. Rien de plus simple. Et si je manque un de mes « rendez-vous » au gym pour un événement hors de mon contrôle ou pour un déplacement imprévu, je le rapporte immédiatement à un autre moment de la semaine où je pourrai consacrer ce temps au gym. Inscrivez donc dans votre agenda de poche vos visites au gym, même si vous y allez toujours à la même heure et les mêmes jours de la semaine depuis des années. Il y a une satisfaction personnelle non négligeable à pouvoir rayer de son agenda ce qui est accompli, incluant les activités telles que celle d'aller au gym.

- **S'adapter à son biorythme** - Certaines personnes éprouvent plus de facilité à se convaincre d'aller au gym avant de se rendre au travail. C'est le cas de Julie, une amie à moi, qui est co-propriétaire et dirigeante d'une grande entreprise. Elle est aussi mère de trois enfants qui vont à l'école. Elle profite de ce moment au gym pour faire le vide et y puiser non seulement ses énergies mais aussi ses idées puisque ce temps d'arrêt lui permet de faire le point sur la planification de sa journée. En fin de journée, elle serait trop épuisée pour s'entraîner. De mon côté, je suis incapable de soulever des poids le matin au réveil. Faire un peu d'exercice cardiovasculaire, ça va toujours. Pour le reste, cependant, c'est beaucoup mieux pour moi à la fin de la journée. Mon corps se réveille plus lentement et étonnamment, j'ai plus d'énergie à 20 heures que j'en ai à 16 heures. Chacun doit connaître son propre cycle d'énergie au cours d'une journée donnée. En respectant votre nature, vous aurez une plus grande facilité à devenir et à demeurer motivé pour conserver votre nouveau mode de vie.

> **Avant de rentrer à la maison** - pour ceux d'entre vous qui faites partie de la majorité et dont l'horaire et/ou le biorythme permet d'aller vous entraîner après le travail, attention à la « trappe ». Cette trappe, c'est le tournant en voiture juste avant d'arriver dans votre quartier où il est fort probable que se situe votre gym. Eh oui ! Vous savez de quoi je parle. Ce moment où, malgré vos résolutions, votre décision et vos bonnes intentions, vous entrez dans la zone de non-retour. Vous êtes dans votre voiture, vous êtes fatigué mais vous voulez quand même aller vous entraîner. Et là, l'hésitation et le doute s'emparent de votre esprit. « Oui, mais… ». Toutes les raisons pour ne pas y aller vous passent par la tête. Et toutes les raisons pour y aller aussi. Jusqu'à ce que vous passiez le dernier signal d'arrêt près de votre résidence et puis tout à coup, il est trop tard, vous décidez que vous êtes trop fatigué. C'est comme une énergie négative qui peut s'emparer de vous et qui vous aspire. Je vous le redis : attention à la trappe. Autant que possible, allez au gym avant de rentrer à la maison. Surtout ceux qui ont des enfants.

> **Lorsque notre corps le demande !** - Un autre bon moment pour choisir d'aller au gym, en plus des séances pré-établies dans l'horaire, est lorsque le cœur vous en dit ou que votre corps vous le fait sentir, tout simplement. Ce sont plutôt des moments où l'on cherche à se défouler et/ou se changer les idées. On y va à cause d'un surplus de travail, de stress, de fatigue, ou à la suite

d'une soirée au restaurant où l'on sent qu'on a ingurgité un surplus de calories. Choisir de répondre à cette tentation positive aura pour effet de permettre à votre corps et à votre esprit de vous signaler davantage ces moments où ils ont besoin d'une séance d'entraînement pour mieux se sentir. Ce sera alors à vous d'y répondre ou non. Lorsque le corps est demeuré inactif pendant des mois, voire des années, il s'est intoxiqué, ce qui a pour effet de rendre les signes d'épuisement et l'accumulation de stress encore moins aisés à percevoir. C'est donc un bon signe si vous sentez que votre nouvelle hygiène de vie incluant des visites régulières au gym vous permet de mieux repérer ces états d'esprit néfastes qui étaient malheureusement devenus omniprésents.

SE FIXER DES OBJECTIFS

« Il ne nous a jamais donné un rêve sans le pouvoir de le réaliser. »

Richard Bach
AUTEUR,
JOHNATHAN LIVINGSTON LE GOÉLAND

Au travail comme dans la vie en général, on ne peut avancer qu'en se fixant des objectifs. Le choix d'entreprendre une démarche pour améliorer sa santé physique ne fait pas exception à cette règle. N'oubliez jamais que ne pas avancer est une forme de régression. C'est une loi naturelle car rien n'est statique. Se voilà donc avec un choix encore plus précis à faire. Le simple fait de s'inscrire et de vouloir changer des choses n'est pas suffisant. Il faut savoir préciser le changement désiré. Par exemple, si vous souhaitez perdre du poids, la meilleure façon de garder votre motivation sera d'établir combien de kilos vous souhaitez voir disparaître (quel tour de taille voulez-vous avoir?). Le témoignage qui suit en est un bel exemple :

Le 10 janvier 2002, j'ai pris une décision, celle de prendre ma santé en main. Emprunter l'escalier ou marcher au travail me faisait courir après mon souffle. Après avoir visité plusieurs clubs d'entraînement, mon choix s'est arrêté sur le centre Énergie Cardio de Kirkland. À 5 pieds 5 pouces et 240 livres, mon but était de perdre 60 livres. Onze mois plus tard, avec l'encouragement des entraîneurs, mon but était atteint. Maintenant, je suis en forme et bien dans ma peau.

Pierre Richer

KIRKLAND

Or, non seulement cet homme avait un objectif précis quant à sa perte de poids, mais il le communique en bien-être. Félicitations monsieur Richer.

Il est possible – et tout à fait intelligent – de commencer avec un rêve ou un thème principal et de les traduire en objectifs précis. Par exemple, si je souhaite retrouver confiance en moi, cela pourrait vouloir dire, dans mon cas, plusieurs choses : perdre 7 kilos, raffermir mes muscles (tonus), perdre cinq centimètres de taille et développer l'habitude d'aller au gym au moins trois fois par semaine. Vous seriez surpris de savoir à quel point le simple fait de tenir tête à ses anciennes mauvaises habitudes sédentaires et d'être assidu dans ses visites au gym peut influencer le moral, la confiance en soi et ultimement, les résultats à venir. Je vous propose donc une formule éprouvée, la formule S.M.A.R.T., que vous connaissez peut-être déjà, pour vous fixer des objectifs. Tout d'abord, quelques consignes d'usage afin de maximiser votre potentiel de réussite.

➤ Vos objectifs doivent êtres écrits – personne n'a jamais accompli quelque chose de grandiose en l'ayant simplement « dans sa tête » ;

- Ces objectifs doivent êtres les vôtres. C'est-à-dire que si c'est votre chum ou un membre de votre famille qui vous force à entrer dans le processus, vous ne connaîtrez qu'une motivation très brève. Cette dernière doit venir de vous ;

- Écrivez vos objectifs au temps présent, comme s'ils étaient déjà accomplis. Par exemple, au lieu d'écrire et de dire « je veux aller au gym trois fois semaine », dites plutôt, « je vais au gym trois fois semaine » ;

- Assurez-vous d'avoir un verbe dans votre énoncé. Par exemple, ne pas simplement écrire « ventre » en alléguant que vous désirez amincir et raffermir votre ventre. Plutôt choisir d'écrire « j'ai un ventre plat » ;

- Utilisez le « je » dans vos énoncés ;

- Si possible, tentez d'associer un sentiment à la réalisation de votre objectif. Par exemple, « Je suis extrêmement fier de m'entraîner trois fois semaine »;

LA FORMULE SMART

« NOTRE PLUS GRANDE FAIBLESSE RÉSIDE DANS NOTRE MANQUE DE PERSÉVÉRANCE. LA FAÇON LA PLUS SÛRE DE RÉUSSIR EST D'ESSAYER UNE FOIS DE PLUS. »

THOMAS EDISON
INVENTEUR ET ENTREPRENEUR

Assurez-vous d'avoir des objectifs qui sont :

SPÉCIFIQUES

Précisez le plus possible l'objectif à réaliser. Par exemple, précisez le nombre d'entraînements auxquels vous souhaitez vous consacrer chaque semaine ainsi que le moment où vous comptez aller au gym. Notez aussi l'évolution de vos résultats et de vos accomplissements, le poids idéal que vous voulez atteindre. Calculez les nuits de sommeil ininterrompues, les redressements assis répétés que vous parvenez à faire et écrivez-les, avec tous les autres « exploits » que vous accomplissez.

MESURABLES

Aller au gym trois fois par semaine pour un minimum de 45 minutes d'activité, c'est mesurable. Même chose pour le nombre de marches d'escaliers montées, les kilomètres parcourus, le nouveau tour de taille et les kilos perdus ;

ATTEIGNABLES

Efforcez-vous de pouvoir répondre « oui » à la question : Est-ce que j'ai les ressources, les connaissances, les forces, le savoir-faire pour accomplir cet objectif?;

RÉALISTES

Est-ce réaliste pour moi d'aller au gym trois fois par semaine? Si vous venez d'avoir des triplets la semaine dernière et que les deux conjoints travaillent à temps « plus que » plein, le moment n'est peut-être pas opportun pour vous mettre une pression supplémentaire sur les épaules. Dans certains cas, il vaut peut-être mieux patienter quelques semaines ou quelques mois avant d'entreprendre un nouvel engagement aussi important. À vous de juger. Par exemple, une cliente d'un centre Énergie Cardio me racontait qu'elle souhaitait établir une nouvelle habitude d'entraînement en allant au gym trois fois par semaine. En tant que mère de trois enfants, elle n'y parvenait pas. Elle ne réussissait jamais à dépasser une semaine d'assiduité au rythme souhaité. Jusqu'à ce qu'elle se fixe un objectif plus « réaliste » en regard de ses valeurs et de ses priorités en s'engageant plutôt à y aller deux fois par semaine. Depuis ce jour, elle compte trois années d'assiduité grâce à son objectif plus « réalistes » et réalisable ;

TEMPS

Votre objectif doit contenir une date butoir précise, par exemple : « Je suis fier de peser xx kilos le 31 mars 20XX! »

Dans le tableau suivant, j'ai choisi de vous proposer d'inscrire votre thème principal, votre rêve, votre vison ultime (développer une meilleure estime de vous-même, être séduisante dans une nouvelle robe, avoir de l'énergie pour jouer avec vos petits enfants, être assez en forme pour recommencer à jouer au hockey, vivre bien et heureux longtemps). De plus, je vous offre la possibilité de décortiquer votre vision en divers objectifs, regroupés en cinq dimensions pouvant se rapporter à votre souhait et votre vision. Bien que vous puissiez créer votre propre grille d'objectifs afin de conserver votre motivation et de réaliser votre but ultime, plusieurs plans doivent être considérés, à savoir vos habitudes d'entraînement et de vie, vos buts précis de poids et de mesures corporelles, votre alimentation, votre cercle social (nous en discuterons davantage dans un prochain chapitre), et l'approfondissement de vos connaissances sur le fonctionnement du corps humain, de l'activité physique, de la motivation et de l'alimentation.

Autant que possible, les dimensions et les objectifs devraient êtres temporellement répartis pour vous procurer ultimement une plus grande satisfaction et une motivation plus importante. On ne mange pas un éléphant en une bouchée !

« LES CHAMPIONS NE SONT PAS CRÉÉS DANS LES GYMS. LES CHAMPIONS SONT FAITS DE QUELQUE CHOSE QU'ILS ONT AU FOND D'EUX-MÊMES – UN DÉSIR, UN RÊVE, UNE VISION. »

MUHAMMAD ALI
CHAMPION BOXEUR

■ ■ ■ ■ ■

Thème Principal : développer une meilleure estime de moi

	Notes	3 mois	6 mois	1 an
Habitudes				
Assiduité		Au 31 décembre 20XX, je suis fier d'aller au gym deux fois par semaine	Au 31 mars 20XX, je suis fier d'aller au gym trois fois par semaine	Au 31 septembre 20XX, je suis heureux d'aller au gym trois fois par semaine
Sommeil		Au 31 décembre 20XX, je suis fier d'aller me coucher avant 23h30 la semaine	Au 31 mars 20XX, je suis satisfait d'aller me coucher avant 23h00 la semaine	Au 31 septembre 20XX, je suis fier d'aller me coucher avant 22h00 la semaine
Physique				
	Notes	3 mois	6 mois	1 an
Poids				Au 31 septembre 20XX, je suis fier d'avoir atteint mon poids santé de XX kilos

Physique

Tonus	Taille	Aptitude cardiovasculaire	Posture
			Au 31 septembre 20XX, je suis satisfait d'avoir rétabli ma posture dorsale de XX degrés
	Au 31 mars 20XX, je suis heureux d'être confortable dans une jupe de taille XX		
Au 31 décembre 20XX, à l'âge de 66 ans, je suis fier d'avoir repris 1 kilo de masse musculaire		Au 31 décembre 20XX, je suis heureux de courir 20 minutes à 9 km/h	

Alimentation

	Fibres	Fruits et légumes
1 an		Au 31 septembre 20XX, je suis fier de consommer 5 à 10 portions de fruits et de légumes frais par jour (recomm.)
6 mois		Au 31 mars 20XX, je suis fier de consommer 5 à 7 portions de fruits et de légumes frais par jour
3 mois	Au 31 décembre 20XX, je suis heureux de compter au moins 25 grammes de fibres chaque jour dans mon alimentation	
Notes		

Social

	Amis
1 an	Au 31 septembre 20XX, je suis content de pratiquer au moins une activité physique par mois avec un(e) ami(e)
6 mois	
3 mois	
Notes	

Social		Intellectuel	
Cocktails et restos		Lecture	Séminaires et formation
	1 an		Au 31 septembre 20XX, je suis heureux d'avoir participé à deux (2) cours sur le sujet de la santé (ex. yoga, tabagisme)
	6 mois	Au 31 mars 20XX, je lis au moins un livre par mois sur l'amélioration de ma santé	
Au 31 décembre 20XX, je suis satisfait de limiter ma fréquentation de restaurants et de bars à 8 par mois	3 mois		
	Notes		

Cette grille est présentée à titre d'exemple. Je vous recommande de préparer votre propre grille avec le plus d'éléments visuels possible. Sur la page qui suit, vous retrouverez une grille entièrement vierge. À vous d'en faire des copies et de l'utiliser régulièrement.

EXERCICE PERSONNEL - Les objectifs

Avant de compléter votre grille d'objectifs, je vous suggère d'en faire des copies car elle évoluera avec le temps, tout comme votre technique de précision de vos objectifs.

Thème Principal		Habitudes			Physique
		Assiduité	Sommeil		Poids
	1 an			1 an	
	6 mois			6 mois	
	3 mois			3 mois	
	Notes			Notes	

Physique

Tonus	Taille	Aptitude cardiovasculaire	Posture

		Alimentation			Social
		Fibres	Fruits et légumes		Amis
1 an				1 an	
6 mois				6 mois	
3 mois				3 mois	
Notes				Notes	

De l'Énergie à vie !

Social		Intellectuel	
Cocktails et restos		Lecture	Séminaires et formation
	1 an		
	6 mois		
	3 mois		
	Notes		

Afin de maximiser l'impact de cette grille, il est important d'y avoir accès de façon régulière. Je vous recommande donc d'en placer une copie aux trois endroits suivants :

1. sur le miroir de votre salle de bain;

2. sur votre réfrigérateur dans la cuisine;

3. dans votre planificateur électronique ou dans votre manuscrit. Si vous possédez un appareil électronique de type *Palm*, *Tréo*, *Blackberry* ou autre ordinateur de poche, il vous est possible d'en faire une copie balayée (« scan ») et de l'avoir sous la vue à tout moment.

Vous devez retourner à vos buts de façon quotidienne pour vous imprégner de votre vision. En agissant ainsi, vous n'éprouverez aucun doute quand il sera question de prendre une décision concernant votre santé ou lorsque vous hésiterez à aller au gym.

Votre réfrigérateur, votre agenda et votre miroir sont visibles à longueur de journée. De plus, ils sont généralement installés à des endroits plus discrets que le babillard de votre entreprise! Vous n'avez pas à communiquer vos objectifs ni vos *pourquoi* à qui que ce soit, même pas au(x) destinataire(s) de votre lettre d'engagement.

TÉMOIGNAGE

Avec le programme d'entraînement privé Pep d'Énergie Cardio, je me suis offert de l'estime de moi. Comme des dizaines de fois auparavant, je suis allé m'inscrire dans un centre de conditionnement physique. Cette fois-ci, j'ai opté pour Énergie Cardio pour les forfaits disponibles. Lors de ma visite d'information, on m'a offert un programme d'entraînement privé qui répondait à mes besoins et à mes buts qui consistent à retrouver tonus et vitalité et à perdre une dizaine de livres. Lorsque j'y suis retourné pour mon inscription, j'ai demandé plus de détails sur ce programme privé et j'ai finalement écouté; j'en ai bien compris toute la structure et j'ai accepté d'y adhérer. Je dois avouer que la torture de départ s'est rapidement transformée en but à atteindre et en mode de vie grâce à l'efficacité, à la patience et au support de Brian, mon entraîneur privé. Je dirais que celui-ci ainsi que l'accueil du personnel du centre ont grandement contribué à ma persévérance. En effet, les départs peuvent être lents puisque que le corps doit s'adapter à ce nouveau mode de vie. Tout y passe : l'exercice, la nourriture, la ponctualité, l'assiduité. Finalement dès la deuxième semaine, les résultats se pointent au rendez-vous, et il est incroyable d'observer à quelle vitesse le programme prend sa dimension. Vers la quatrième semaine du programme, je savais déjà que j'atteindrais mes objectifs et que suivre le programme, doublé du support constant de Brian « Monsieur Gardez le sourire », me permettrait de hausser encore plus mes objectifs de départ. Jamais, dans aucun centre, je n'ai eu autant de constance dans mes efforts. J'ai finalement atteint un résultat que jamais je n'aurais osé espérer atteindre. Depuis plus de 15 ans, je n'ose me promener sur la plage sans un t-shirt ou un chandail et maintenant, je le fais avec fierté et j'ai même reçu quelques compliments à l'effet que je semblais en très bonne forme. Je me suis offert de l'estime de moi et le prix est bien peu élevé comparé à la joie que cela procure physiquement et mentalement. Merci à toute l'équipe de Énergie Cardio et tout spécialement à Brian.

Jean Pronovost
VILLE ST-LAURENT

CASSER LA ROUTINE

Bien qu'il soit important de développer l'habitude à aller au gym comme celle de se brosser les dents ou de manger sainement à des heures relativement régulières chaque jour, il existe au moins deux autres bonnes raisons pour briser la routine établie lors des visites au gym. La plus évidente est de changer pour changer! C'est-à-dire, pour casser la monotonie qui finit par s'installer et par conséquent, pour relancer sa motivation qui commence à s'étioler. Je suggère donc des cycles de trois mois après lesquels vous changerez ou votre routine sur les appareils et/ou votre cours de groupe préféré. Essayez une nouvelle activité à chacune de ces périodes. Ainsi, vous retrouverez presque l'état d'excitation dans lequel vous étiez lorsque vous avez débuté votre nouveau style de vie en décidant d'aller au gym sur une base régulière.

La deuxième raison pour laquelle il est important de changer périodiquement d'activités trouve sa justification dans l'importance d'éviter les blessures.

LA PRÉPARATION MATÉRIELLE

« LA MAJORITÉ DU STRESS VÉCU PAR LES GENS NE DÉCOULE PAS DU TROP GRAND NOMBRE DE CHOSES À FAIRE, MAIS PLUTÔT DE L'ÉCHEC À ACHEVER CE QU'ILS ONT ENTREPRIS. »

DAVID ALLEN,
EXPERT EN PRODUCTIVITÉ

Quand on est bien organisé, on est toujours plus motivé. Voici quelques petits trucs qui peuvent vous aider à garder le momentum et votre énergie à la bonne place :

LE SAC DE GYM :

- **Il vous suit partout** - Gardez-le dans votre véhicule, toujours prêt à servir;

- **Toujours prêt** - Profitez du moment où vous faites la lessive afin de le remplir pour la semaine. Par exemple, si vous allez au gym trois fois par semaine, assurez-vous d'y inclure des vêtements de rechange pour vos trois visites, soit trois paires de bas, trois sous-vêtements, trois t-shirts, trois serviettes d'exercices et trois serviettes de douche de petit ou moyen format. Vous pouvez aussi garder un sac de plastique pour y mettre vos vêtements et serviettes utilisés lors du retour;

- **Sécurité oblige** - N'oubliez pas votre cadenas, car ce serait une bien mauvaise excuse de manquer une séance pour ne pas avoir apporter cet objet important avec vous. Si, comme moi, vous avez plus d'un sac pour vos diverses activités qui nécessitent le changement de vêtements et l'utilisation d'un cadenas, je vous recommande d'en acheter un pour chacun des sacs. C'est beaucoup plus simple que de le chercher dans l'autre sac;

- **T'es qui toé ?** - Gardez aussi votre carte de membre dans une des pochettes de votre sac. C'est doublement pratique lorsque vous visitez d'autres centres du réseau. Les « itinérants » sont toujours plus facilement acceptés avec leur pièce d'identité !

- **Pour garder l'œil sur la balle** - Apportez avec vous vos objectifs courants ainsi que les éléments visuels qui réussissent à vous motiver (une copie d'une photo de vous alors que vous aviez la taille actuellement recherchée, par exemple. Nous aurons l'occasion de discuter davantage du sujet de la visualisation dans la prochaine section de ce chapitre);

- **Le parcours établi** - Pour ceux et celles qui choisissent de faire un circuit sur les différents appareils, je vous suggère d'avoir avec vous une copie de votre parcours mis à jour. Je sais que votre fiche est bien classée dans les dossiers de votre centre d'origine, mais j'aime cette idée de préparer un résumé de la routine d'entraînement et ce, pour deux raisons principales : 1- Étant donné mes fréquents déplacements, je ne sais jamais quand je serai tenter d'aller dans un des nombreux centres du réseau. 2- Lorsque je ne suis pas avec mon entraîneur personnel, je préfère utiliser mon résumé que j'imprime sur mon imprimante couleur et que je plie afin qu'il devienne plus épais, résistant et assez petit pour entrer dans mes poches de pantalons d'entraînement. De cette façon, je m'approprie davantage *ma* routine et mon expérience au gym;

➤ **Beau bonhomme !** - Quel merveilleux moment que celui où l'on sort de la douche, rassasié par l'effort, et quelque fois encore sous l'effet de la drogue naturelle qu'est l'endorphine, et où l'on s'apprête à sortir pour rejoindre son partenaire de vie ou rejoindre sa famille ou des amis au resto !

CONSEIL

Ayez le double de votre trousse de toilette de voyage exprès pour le sac de gym. Combien de fois ai-je laissé ma trousse dans ma valise que j'utilise pour les voyages d'affaires ? Maintenant, donc, j'ai toujours avec moi une trousse réduite avec le minimum nécessaire pour sorties prévues après le gym : gel de corps, shampoing, brosse ou peigne, gel ou pâte à cheveux, déodorant, nécessaire de rasage, eau de toilette, brosse à dents, dentifrice. Les femmes peuvent aussi songer à apporter des serviettes hygiéniques ou des tampons au cas où;

➤ **J'ai soif** - Plusieurs apportent leur bouteille d'eau dans un format de 500 ml. C'est une excellente idée, non seulement pour les questions d'hydratation tout à fait évidentes, mais aussi parce que trop souvent, j'ai remarqué que la qualité de l'eau des abreuvoirs en général est de piètre qualité. Il n'y a rien de pire que de chercher à étancher sa soif après une séance d'entraînement cardiovasculaire intense avec de l'eau qui goûte le métal et/ou le savon. J'imagine que vous savez de quoi je parle ! En plus d'apporter de l'eau en bouteille – que vous pouvez remplir à la maison avec de l'eau filtrée – mon entraîneur personnel Steve m'a donné l'idée de préparer ma propre boisson désaltérante en me procurant le format en poudre vendu dans la plupart des centres d'alimentation. Dans le chapitre 4 portant sur l'action, la nutritionniste Isabelle Huot propose au lecteur, à l'aide d'une recette fort simple, de préparer sa propre boisson désaltérante avec un ratio de 3 parts de jus d'orange pour 2 parts d'eau. Je vous invite à vous y référer.

LA PRÉPARATION MENTALE

> « Nous devenons ce à quoi nous pensons,
> jour après jour. »
>
> Earl Nightingale,
> auteur, Le secret le plus étrange

COMMENCER PAR Y PENSER

Nous devenons ce à quoi nous pensons, jour après jour. Cet énoncé de monsieur Earl Nightingale, devenu célèbre au milieu du siècle dernier, se trouve à la base de la réussite qui consiste à trouver et à conserver la motivation à aller au gym. Le simple fait de garder constamment en tête ces pensées qui tournent autour des objectifs fixés est très puissant. Une personne qui souhaite perdre du poids doit se voir déjà à son poids santé idéal. Même chose pour quelqu'un qui souhaite cesser de fumer, développer de nouvelles habitudes d'entraînement, d'alimentation, ou pour n'importe quel autre objectif. En vous laissant submerger par ces pensées, vous serez amené à agir en conséquence. Le chapitre sur l'action saura probablement vous convaincre pour de bon.

PRATIQUEZ LA VISUALISATION

« Si vous souhaitez élargir votre vie, vous devez lui ouvrir vos pensées, à elle et à vous-même. Gardez l'idéal que vous souhaitez de vous-même, partout, en tous temps. »

Orison Swett Marden
AUTEUR ET FONDATEUR
DU MAGAZINE "Success"

1. **Le montage** : La première étape est de décider de l'image que l'on a de soi avec ses nouvelles habitudes d'entraînement, tant au point de vue du corps, de l'état d'âme, de la réussite financière qui en découlera, de la vitalité renouvelée, des relations humaines plus enrichissantes, etc. Sortez de vos tiroirs et de vos albums les quelques photos de vous qui projètent l'image que vous souhaitez projeter. Certaines seront des photos de votre dernière journée de ski il y a très (trop) longtemps, une randonnée pédestre, l'ascension d'une montagne comme le Mont-Tremblant, tandis que d'autres personnifieront votre confiance en vous, votre joie de vivre et votre vitalité. N'hésitez pas à considérer des photos vous représentant en compagnie de personnes que vous souhaitez voir graviter autour de vous. Quels que soient votre vision et votre but ultime, vous devez trouver des images et les juxtaposer à vos objectifs – même s'il s'agit d'un objectif aussi modeste que d'aller marcher sur le tapis roulant quelques fois par semaine. Cette combinaison donnera plus d'impact à vos buts. Vous verrez, vous serez en mesure de vous transporter dans l'état souhaité à n'importe quel moment, grâce à ces images qui feront partie intégrante de votre état conscient. Votre subconscient travaillera avec ces images alors que vous vaquerez à vos diverses

activités quotidiennes. Les images agiront même pendant votre sommeil. Voilà l'avantage de la visualisation qui a un impact sur le subconscient. De la magie, en quelques sortes ! Or, au moment où vous serez tenté par la nourriture malsaine d'un restaurant quelconque ou bien par une sortie entre amis un soir où l'entraînement est prévu, cette image refera surface et l'attitude à adopter vous viendra beaucoup plus facilement.

2 En vous entraînant : Je dois avouer que faire 30 minutes de vélo stationnaire, de course sur le tapis ou d'une autre activité solo répétitive peut devenir ennuyant. Malgré le fait que je finis toujours par lâcher prise sur mon mental et que je laisse mon esprit vagabonder en me rendant disponible à recevoir toutes formes de pensées créatrices (c'est en courant sur le tapis roulant, à l'automne 2004, que j'ai eu l'idée d'écrire ce livre), il n'en demeure pas moins que je trouve parfois les premières minutes ardues autant physiquement que mentalement car je trouve que le temps ne passe pas assez vite. Lorsque j'ai un moment de lassitude, je me mets à songer aux raisons qui me poussent à pratiquer cette activité : je pense à mon poids santé, à ma plus grande souplesse au golf, à ma plus grande vitalité à jouer avec ma nièce et les enfants de mes amis, au plaisir que j'ai à mieux skier, à ma posture qui sera meilleure, à mon nerf sciatique qui va finir par arrêter de me faire souffrir maintenant que je ne suis plus sédentaire et ainsi de suite. Habituellement, je choisis une seule image et je la fixe mentalement, alors que mon regard se fixe sur un point dans la salle devant moi. Le reste se fait alors tout seul. Mon esprit change d'image et de pensées de façon libre et naturelle. Et ce qui doit se produire finit par arriver : je suis dans le dernier quart de ma séance d'entraînement cardiovasculaire. Je suis fier d'avoir complété mon objectif d'entraînement en plus d'avoir imprégné mon esprit de l'image et de l'état que je souhaite atteindre. Le corps est aussi fort que la force de l'esprit. Comme me le répète souvent mon entraîneur personnel : « On s'écoute trop ». Il a bien raison. Le corps finit par obéir aux visions et la puissance de l'esprit. Alors, aussi bien se dire des choses positives. De plus, comme le répète aussi Josée Lavigueur, le corps s'adapte admirablement.

3   **Votre vision vous suit :** Dans le sac de gym, sur le réfrigérateur, sur la table de chevet, une copie de votre célèbre montage visuel devrait avoir sa place dans au moins trois de ces endroits stratégiques, lorsque vous êtes vraiment déterminé à atteindre votre but, à garder la motivation et que vous êtes aussi conscient que les mauvaises habitudes sont aussi fortes que le pouvoir de votre nouvelle pensée. Dans mon sac de gym, je garde une copie d'une photo de moi (vous pouvez aussi utiliser la photo d'une tierce personne que vous admirez pour son état de santé et ses habitudes de vie en général) qui me représente au moment où j'avais une meilleure énergie, une plus grande souplesse, une confiance en moi plus solide et un corps plus en forme que celui qui m'a poussé à m'entraîner de façon plus assidue. Avant de quitter le vestiaire, je jette un coup d'oeil sur ce montage visuel (une photo avec votre objectif principal peut suffire) au cas où je serais tenté d'être moins intense ou de couper sur mon temps d'entraînement ou sur certains exercices. En voyant cette photo et en relisant mon but ultime, je me remets en tête pourquoi je suis là et j'y vais comme il se doit ! Ma séance d'entraînement n'est que temporaire, de toute façon, mais les résultats me suivent partout ! La porte du réfrigérateur demeure et demeurera, je crois bien, l'espace préféré pour plusieurs. L'image peut nous revenir plusieurs fois par jour, même lors des journées où il n'y a pas d'entraînement de prévu. Et pourquoi ne pas garder une copie près de sa table de chevet ? Ce dernier coup d'œil avant d'aller dormir aura un impact positif et puissant sur votre subconscient, ce qui vous aidera à conserver un momentum durable sur votre engagement.

4   **Au coucher :** Le subconscient travaille pendant le sommeil. Les moments qui précèdent le temps où l'on s'endort sont les périodes les plus convaincantes pour votre esprit qui s'imprègnent de l'image que vous souhaitez recréer. Fermez les yeux et visualisez le type de personne que vous souhaitez devenir. Plus il y a de détails et d'émotions positives durant votre période de visualisation créatrice, plus grande seront vos chances de voir la vision de votre état de santé et d'énergie se réaliser.

L'ÉCHAUFFEMENT :
SE METTRE EN ÉTAT D'ALLER AU GYM

> LES CHOSES NE SONT PAS DIFFICILES À FAIRE;
> CE QUI EST DIFFICILE, C'EST DE NOUS METTRE
> EN ÉTAT DE LES FAIRE. »
>
> CONSTANTIN BRANCUSI

Vous voilà décidé et préparé! Il ne reste qu'à vous rendre au gym. En fait, entre les derniers préparatifs – la visualisation du coucher la veille, par exemple – et le moment d'entrer au vestiaire, il peut y avoir une journée complète de travail et d'heures passées dans votre véhicule pour de multiples déplacements quotidiens. Or, ces espaces-temps peuvent aussi être mis à contribution, surtout afin de contrer l'impact négatif de la procrastination et des « rechutes » qui permettent aux excuses de reprendre le dessus. À l'instar d'une séance d'échauffement au début d'une session d'entraînement, je vous propose donc de savoir anticiper de façon positive votre séance d'entraînement, votre cours ou vos rencontres à venir avec le gym.

LE POUVOIR DE L'ANTICIPATION

Une amie à moi s'entraîne tôt le matin avant de se rendre à son lieu de travail, où elle porte de lourdes responsabilités. Son moment d'anticipation le plus important avant de quitter la maison est le café « de luxe » qu'elle va

s'offrir après son entraînement. Elle le savoure déjà en quittant la maison. C'est un moment de plaisir qu'elle ne se permet que les jours où elle va s'entraîner.

On peut aussi anticiper le moment ou l'on reverra peut-être des membres que l'on aime bien voir qui s'entraînent aux mêmes fréquences et selon les mêmes plages horaires que soi. À cet effet, je me souviens de mon grand-père paternel qui détestait ce qu'il appelait les « vieux ». Vous savez ces gens qui, indépendamment de leur âge, ont « abandonné ». Ils attendent d'être malade, avec une valise pour l'hôpital toute prête. Lorsqu'il fut retraité, il se baladait à vélo pendant des heures, jouait au tennis et au badminton avec moi. En tant qu'ancien boxeur amateur, il se rendait fréquemment au gym de boxe des frères Hilton pour procurer quelques judicieux conseils aux jeunes athlètes, sous la supervision de leur coach officiel. Mon grand-père n'avait pas le temps d'être « vieux » ou de s'ennuyer. Il anticipait ces moments quotidiens où il allait « vivre » en bougeant et en socialisant. Si vous êtes retraité et si vous faites de l'exercice, vous saurez retrancher des années au compteur, tout en côtoyant des gens qui ont choisi le même genre de vie active et saine que vous.

LE SAVIEZ-VOUS?

Une personne active de 80 ans se compare, au niveau de la force musculaire des membres inférieurs, à une personne inactive de 20 ans.

Source : Boudreault B.; 2005 – Kino-Québec

On va au gym pour l'ambiance positive et énergique que l'on a hâte de retrouver. Pour ma part, je pense à l'état de bien-être que me procure une séance intense avec le fameux sauna de la fin. Et que dire de la soirée détendue que je passe au retour à la maison et de la nuit de sommeil profond qui suit.

Selon mes observations, ceux qui réussissent le mieux à trouver – et à garder – la motivation pour aller au gym sont ceux qui savent y trouver du plaisir, directement ou indirectement. L'idée est donc d'apprendre à anticiper ce ou ces plaisir(s) inconditionnel(s) reliés à sa visite au gym.

BONNE ASSOCIATION, BONNE MOTIVATION

> « LA DIFFÉRENCE ENTRE L'IMPOSSIBLE ET CE QUI EST POSSIBLE RÉSIDE DANS LA DÉTERMINATION D'UN INDIVIDU. »
>
> TOMMY LASORDA
> EX-GÉRANT D'ÉQUIPES DE BASEBALL

Savoir se motiver, c'est savoir faire les associations les plus puissantes entre la nouvelle habitude à prendre et les résultats relatifs à l'ancienne ou nouvelle habitude. Par exemple, pour cesser de fumer, une personne doit réussir à associer tout ce qu'il y a de plus néfaste et de négatif au tabagisme, mais surtout, ce qu'il y a de positif à être non-fumeur. Le même phénomène est applicable dans ce cas-ci, en associant le plaisir manifesté suite à son entraînement. Le meilleur truc serait de revisiter ses *pourquoi (voir Exercice personnel – Les pourquoi, chapitre 1)*, qui constituent de nombreuses raisons pouvant inciter un individu à agir. Il s'agit là des raisons les plus personnelles qui, une fois créées, aident à garder le momentum.

Par exemple, afin de me trouver des raisons supplémentaires pour me motiver à retrouver mon état de santé et d'énergie, j'ai dressé une liste de personnalités québécoises et américaines qui m'inspirent et qui sont des modèles de réussite pour moi. Leur champ d'activité professionnelle et le mien ont un dénominateur commun : elles font de la scène, soit pour l'humour et/ou pour un message à transmettre. J'ai donc inscrit mon objectif principal sur cette liste et j'ai ajouté à côté de chacun des noms, la phrase suivante : « dégage l'énergie et la santé que je souhaite ! ». Par exemple, ma liste – telle la vôtre – pourrait ressembler à ceci :

- ❯ Yvon Deschamps dégage l'énergie
  et la santé que je souhaite !

- ❯ François Morency dégage l'énergie
  et la santé que je souhaite !

- ❯ Patrick Huard dégage l'énergie
  et la santé que je souhaite !

- ❯ Bernard Voyer dégage l'énergie
  et la santé que je souhaite !

- ❯ Marc Fisher dégage l'énergie
  et la santé que je souhaite !

- ❯ David Letterman dégage l'énergie
  et la santé que je souhaite !

- ❯ Johnny Carson dégageait l'énergie
  et la santé que je souhaite !

Ce que j'ai choisi d'accomplir ici est tout simplement une *association* entre mes efforts d'entraînements et de nutrition et ce qui est important pour moi, soit mon niveau d'énergie et ma réussite professionnelle. Pour établir cette association, j'ai pris soin de retenir des modèles qui m'inspirent. À ma grande surprise, ce petit exercice me motive beaucoup plus que je ne le croyais.

Finalement, l'important est de trouver au moins un élément positif relié à votre démarche d'entraînement et de l'associer à la pratique régulière de vos activités physiques au gym.

L'ACTION :
IL FAUT LE FAIRE
POUR LE VOIR

« COMMENCEZ PAR FAIRE CE QUI EST NÉCESSAIRE,

ENSUITE CE QUI EST POSSIBLE, ET SOUDAINEMENT,

VOUS ÊTES EN TRAIN DE RÉALISER L'IMPOSSIBLE. »

ST-FRANÇOIS D'ASSISE,
FONDATEUR DE L'ORDRE
DES FRANCISCAINS, 1181-1226

Vous voilà maintenant rendu sur place. Autant pour voir les résultats que pour ressentir le bien-être tout au long du processus, il faut vous y mettre, passer à l'action. Ainsi, vous faut-il le *faire* pour le *voir*! Pour voir votre motivation prendre son élan, pour voir se réaliser les résultats tant escomptés, pour voir la nouvelle personne que vous pouvez devenir et l'effet de ce succès sur votre vie.

PRATIQUER DES ACTIVITÉS QUE L'ON AIME

La passion est le moteur de la motivation. En fait, aimer se prêter à une activité suppose qu'une émotion motive l'exécution de cette chose agréable. En étudiant l'étymologie du mot *émotion*, on retrouve clairement « motion » qui a rapport au mouvement. Et comme je l'ai souligné dans le premier chapitre, on retrouve également cette particule dans le mot *motivation*. Or, pas de motivation sans émotions, c'est aussi simple que ça. Ce n'est sûrement pas par hasard que Josée Lavigueur, experte en conditionnement physique, soit si convaincue que la clef est là. Josée a d'ailleurs très bien articulé cette notion de plaisir dans la préface de cet ouvrage.

Voilà la raison pour laquelle il vous est primordial de procéder à des choix qui vous ressemble. La panoplie de programmes et de services disponibles dans les centres d'Énergie Cardio peut vous aider à arrêter ces choix, c'est-à-dire à vous pousser à pratiquer des activités que vous appréciez. Et si vous ne savez pas ce que vous aimez vraiment, eh bien, essayez-en quelques-unes ! Il y a de la place pour tout le monde. Vous n'êtes pas friands des appareils, mais aimez danser ? Les cours en groupe de danse aérobique ou de *Cardio Latino* peuvent vous apporter beaucoup de plaisir. Vous aurez transpiré un bon coup sans même le réaliser. Une heure de plaisir ! Autant les hommes que les femmes peuvent s'adonner aux nombreux cours de groupes. Et ceux-ci ont beaucoup évolué depuis les dernières années. Des traditionnelles classes de danse aérobique, on a dorénavant pénétré l'ère des programmes hybrides intégrant la boxe, le yoga, le pilates et l'entraînement militaire, pour ne nommer que ceux-là, aux exercices plus traditionnels. Et pour ceux – les hommes principalement – qui auraient encore des préjugés au sujet des cours en groupe, sachez que plusieurs sont extrêmement physiques et exigeants au point de vue musculaire et cardiovasculaire. Tout dépend de l'intensité que vous y mettez, bien sûr ! Vous manquez de coordination ? Le *Step*, le *Body Design* ou encore le *Cardio Militaire* en demandent très peu et vous permettent de bénéficier de la motivation du groupe, de la musique et de l'instructeur. Vous êtes de nature plus zen ? L'idée de bouger rapidement sur un rythme endiablé ne vous emballe pas ? Essayez l'*Énergie Yoga* ou le *Cardio Tai Chi*. Vous améliorerez ainsi votre condition physique grâce à un type de discipline qui convient à votre personnalité.

Il existe aussi des cours qui s'adressent à des groupes d'âges spécifiques. Chez Énergie Cardio, on a développé des cours *Parents-Enfants* et des cours *Cardio Rigolo* pour les bouts de choux. Le programme *Énergie 55* a également été fondé pour les aînés. Plus le cours est adapté à votre condition physique, à vos objectifs et à vos goûts, plus vous serez motivé à y assister et à vous exercer selon votre plein potentiel. Et les résultats sur votre santé se feront sentir en fonction de votre motivation accrue.

De façon générale, les cours de groupe conviennent bien à ceux qui veulent briser la routine, avoir du plaisir en groupe, garder la motivation, dépenser des calories, être guidé par un instructeur qualifié et motivant, le tout dans une salle privée et sans spectateurs.

Dorénavant, aller au gym ne veut pas seulement dire s'entraîner sur des appareils ou sur des poids et haltères. Peu importe l'âge que vous avez, vos intérêts, votre condition physique actuelle, plus d'une activité est en mesure de vous séduire. Il serait malheureux de vous priver des nombreux bénéfices liés à la pratique de l'activité physique dans un gym simplement à cause d'une mauvaise connaissance des différents services offerts dans votre centre préféré.

Néanmoins, beaucoup de clients de clubs de gyms sont adeptes des appareils de musculation et des poids et haltères. En plus des bénéfices que ces personnes en retirent du point de vue de la condition physique, les appareils offrent la flexibilité d'horaire et une grande efficacité dans les résultats. De plus, la sélection des appareils disponibles est de plus en plus variée. Différents types peuvent solliciter les capacités cardiovasculaires, en plus des appareils de plus en plus perfectionnés qui visent les capacités musculaires. On retrouve également, dans les gyms, beaucoup d'hommes et de femmes qui s'entraînent avec les poids et haltères qui ne sont plus, comme ce fut le cas jadis, réservés exclusivement aux adeptes du culturisme. Ce type d'exercices offre plusieurs avantages aux « réguliers » du gym, que ceux-ci soient novices ou plus avancés. En effet, ceux qui ont déjà utilisé les appareils conventionnels peuvent trouver un défi supplémentaire à travailler avec des poids libres. Ces derniers permettent de casser la monotonie et de développer les muscles de manière plus fonctionnelle. Les gyms ont évolué, il s'agit maintenant pour vous d'y trouver votre place.

N'oubliez pas. Aller s'entraîner au gym n'est pas une punition. C'est au contraire un moment privilégié pour donner à son corps ce dont il a besoin. En effet, la sensation de bien-être qui s'en suit indique la bonne voie empruntée. Grâce à cette sensation unique de bien-être et de plénitude que le corps peut procurer, ce dernier exprime son appréciation et dit en vouloir encore ! C'est à vous de le contenter. Si vous êtes bon avec votre corps, il sera bon avec vous.

· ■ ■ ■ ·

ALLER AU GYM SEUL OU ACCOMPAGNÉ

Aller au gym seul ou accompagné d'un ami, c'est une question bien personnelle. Mais au niveau de la motivation, pour plusieurs, il s'agit d'une option très motivante. On devient souvent plus assidu, plus discipliné et plus motivé lorsqu'on peut partager son engagement, ses sensations et son progrès. Sans oublier le plaisir des inévitables échanges personnels tout au long de la séance. En fait, la clé est de se rendre redevable à quelqu'un d'autre qu'à soi. Cette personne doit être respectée et admirée par vous.

Personnellement, j'ai toujours été plus motivé lorsque je m'entraînais régulièrement avec un de mes amis. Nous planifions nos visites au gym ensemble. Elles avaient lieu après le travail ou encore le samedi matin. Ma motivation était plus grande pour trois raisons principales :

1. Ma séance d'entraînement était également une rencontre sociale. J'anticipais vivement le plaisir de rencontrer mon ami;

2. Je me sentais plus responsable, car je ne voulais pas décevoir mon partenaire d'entraînement;

3. J'avais un plus grand sentiment de fierté, car je ne voulais pas être celui qui abandonnait;

Et si ce dernier et vous devez vous séparer – comme cela fut le cas lors d'un changement de secteur de mon ami – vous devrez continuer seul pour un moment, avant de vous trouver un autre partenaire d'entraînement. Voilà pourquoi il est recommandable d'avoir soit :

- plus d'un partenaire d'entraînement;

- un entraîneur personnel;

- ou une motivation à toute épreuve;

De plus, j'ai toujours trouvé à m'entraîner avec des personnes plus avancées que moi. Cette situation me poussait à fournir plus d'efforts pour les suivre. Mais ceci est bien personnel.

Ainsi, je vous recommande de trouver quelqu'un avec qui vous entraîner. S'il vous est impossible, pour le moment, de faire une telle trouvaille, ne vous inquiétez pas; vous ferez connaissance avec des membres sur place qui deviendront peut-être des partenaires d'entraînement. Pour les personnes qui adhèrent à des cours de groupes, ne vous posez même pas ce genre de question. Vous serez déjà plusieurs à vous encourager mutuellement, sans compter l'instructeur qui agit aussi comme motivateur.

UN ENTRAÎNEUR PERSONNEL OU NON

La personne la plus fiable pour vous aider à vous entraîner sera cet expert employé du gym. Même s'il faut débourser un peu d'argent, les avantages à faire appel à un professionnel sont nombreux. Il y a d'abord l'aspect crucial de la sécurité. En effet, votre entraîneur possède toutes les connaissances requises au point de vue de l'utilisation des appareils et des poids et haltères. Il pourra, par exemple, vous conseiller judicieusement sur les mouvements à effectuer et les charges à utiliser. Être accompagné d'un entraîneur m'a permis de me sentir en sécurité lorsque j'essayais de nouveaux exercices ou lorsque j'étais prêt à augmenter mes charges.

L'entraîneur personnel permet à la personne qui met pour la première fois les pieds dans un gym de se sentir à l'aise et de se familiariser tout doucement avec les exercices et l'entraînement. C'est, selon moi, une sorte « d'assurance qualité » pour les choix de la routine d'entraînement.

Un autre point important à surveiller est celui de la performance. En effet, sur certains aspects de mon entraînement, je n'avais jamais été aussi loin que je l'ai été avec mon entraîneur qui a réussi à repousser certaines de mes limites. On fait toujours mieux lorsqu'on est regardé ! L'entraîneur m'a aidé à évoluer selon mes objectifs, mes contraintes physiques et ma personnalité. Cette assistance a grandement contribué à l'atteinte de mes résultats et constitue le deuxième avantage pertinent à utiliser les services d'un entraîneur personnel.

L'entraîneur est le témoin privilégié de la réussite de son client. Il est là pour l'aider à célébrer ses victoires et à lui mettre sous le nez ses succès, ce qui contribue grandement à sa motivation. Sans oublier les encouragements ponctuels souvent nécessaires qu'il fournit à la fin de chacune des séries de musculation.

Le choix d'investir dans un « coach » pour la réussite est bien personnel. L'impact positif qu'il peut avoir sur la motivation est cependant difficile à ignorer lorsque sa santé et sa condition physique sont les principales intéressées.

TÉMOIGNAGE

Je suis un membre assidu et un mordu du programme Pep (Programme d'entraînement privé) d'Énergie Cardio. J'y participe depuis avril 2001. Laissez-moi vous décrire le contexte de mon adhésion. Plein de bonnes intentions, le 1er février 2001, j'ai cessé de fumer pour la seconde fois de ma longue vie de fumeur (39 ans à moyenne de 25 cigarettes par jour). À la mi-mars, j'ai commencé à ressentir les effets d'un gain pondéral, autant sur la ceinture que sur le ballottement de la « bedaine » lors de la descente d'escaliers, sensation que je savais tolérer. C'est dans ce contexte que je me suis inscrit au programme Pep d'Énergie Cardio. C'est là que j'ai troqué ma dépendance à la nicotine pour la dépendance à l'exercice physique. Depuis ce temps, je suis très assidu à mes séances d'entraînement, je persévère dans mon abstinence du tabac et j'ai perdu 35 livres à la suite de mon changement de style de vie. De « potato couch » qui regardait la télévision en fumant, je suis devenu conscient de ma forme physique et du bienfait de l'exercice que je pratique chez Énergie Cardio et ailleurs. Cela est devenu un besoin. Je peux même être de mauvaise humeur si je manque une séance d'entraînement. Le programme PEP m'a aidé à maintenir et à entretenir ma motivation. Jamais dans ma vie je ne m'étais adonné à des activités physiques de façon continue : que voulez-vous, le travail m'en empêchait... J'ai quand même réussi, pendant ma dernière année de travail à un poste de direction à plein temps, à demeurer fidèle à mon programme Pep. J'étais à ce moment médecin enseignant. Mes rendez-vous, je ne les manquais pas à moins de raisons importantes. C'est même pendant cette année que j'ai décidé de prendre ma retraite, au moment où je pouvais encore faire des choses intéressantes en partie à cause de l'amélioration de ma forme physique. Je suis aujourd'hui un jeune retraité de 58 ans. De plus, le professionnalisme et le savoir-faire de l'entraîneur ont su maximiser mes efforts déployés et m'éviter des blessures d'entraînement.

Enfin, grâce au programme Pep, des qualités exceptionnelles de mon entraîneur, de l'atmosphère cordiale qui règne chez Énergie Cardio, je suis devenu un adepte de « gym », ce qui m'étonne et mystifie mon entourage. C'est avec plaisir et gratuitement que je témoigne de mon expérience et ce, dans le but d'aider « ceux qui branlent dans le manche », qui n'arrivent pas à prendre la bonne décision. Oui, il est possible de changer. Il suffit de se le permettre. Les avantages personnels, autant physiques que psychologiques, que j'ai retirés de mes abonnements successifs au programme Pep valent grandement l'investissement monétaire.

André Plante
SHERBROOKE

UNE QUESTION D'ÉNERGIE

« Un corps en mouvement tend à rester
en mouvement. Un corps au repos tend à
demeurer au repos. »

Newton

Ce guide s'intitule *De l'Énergie à vie !* Pourquoi le mot *Énergie* destiné au titre d'un livre qui porte sur la *motivation* à aller au gym ? Tout simplement parce qu'énergie et motivation vont de pair. Il n'y a pas de motivation sans énergie et pas d'énergie sans motivation. De l'énergie, c'est ce que nous sommes tous. Et tous ces gens qui réussissent le mieux leur vie professionnelle et personnelle ont ceci en commun : ils ont de l'énergie… beaucoup d'énergie ! Et ils ont surtout une bonne énergie, une belle énergie. Et aussi invraisemblable que cela puisse paraître, plus on dépense d'énergie, plus on en a ! Vous pensez être déjà bien assez fatigué à la fin de vos journées sans y ajouter des séances aux gyms. Détrompez-vous ! Plusieurs convertis m'ont confié qu'ils arrivent souvent au gym épuisés par une rude journée de travail ou par d'autres activités, mais qu'ils en ressortent étonnamment en pleine forme et remplis d'énergie.

Or, afin de garder votre motivation, vous devez absolument savoir gérer vos énergies. Le prochain chapitre portera sur le douloureux sujet de ces mauvaises habitudes qui sapent l'énergie et sabotent la réussite. Mais d'abord, voyons en quelques détails la raison primordiale qui fait en sorte qu'on doit maintenir un bon niveau d'énergie et de motivation. J'ai parlé de la bonne alimentation. Présenté sous une forme simple et pratique, l'exposé de la spécialiste Isabelle Huot, docteure en nutrition, propose une série d'astuces simples qui permettent de bien s'alimenter et de conserver son énergie et sa motivation pour l'entraînement.

Toutefois, n'hésitez pas à demander conseil aux nutritionnistes disponibles dans les centres du réseau Énergie Cardio lorsque vous participez au programme *Kilo Cardio*.

ACTIVITÉ PHYSIQUE ET SAINE ALIMENTATION :
UN DUO GAGNANT

PAR ISABELLE HUOT, DOCTEURE EN NUTRITION

Auteure, *Les conseils santé d'Isabelle*

S'entraîner sans faire attention à ce qu'on mange, c'est faire les choses à moitié, avec la moitié des bénéfices potentiels. En améliorant à la fois vos habitudes alimentaires et votre pratique d'activité physique, vous donnez à votre corps toutes les chances d'être au meilleur de sa forme.

Si votre désir est de perdre du poids, vous devez absolument rejeter tous les régimes faibles en glucides qui ne peuvent qu'entraver votre capacité à vous entraîner correctement. Les glucides, retrouvés principalement dans les produits céréaliers, les fruits et certains produits laitiers, fournissent de l'énergie aux muscles. Ils représentent le carburant des cellules musculaires et doivent constituer la base de votre alimentation. Les glucides se retrouveront sur vos menus, le matin, le midi et le soir, et seront inclus dans vos collations pré et post-exercice. Votre alimentation devra toutefois être limitée en gras et mettre l'accent sur les bons gras. C'est ainsi que croustilles, beignes, biscuits et frites laisseront place aux noix, à l'huile d'olive et aux graines de lin. Enfin, les protéines sont aussi essentielles pour réparer les tissus musculaires. Vous opterez pour des protéines maigres et découvrirez les protéines végétales (soya, légumineuses).

Outre l'importance d'avoir une alimentation équilibrée en tout temps, des bénéfices supplémentaires seront apportés par la sélection appropriée de collations.

■ ■ ■ ■ ■

LA COLLATION PRÉ-EXERCICE

Elle sera idéalement constituée de glucides. Par exemple, une à deux heures avant l'exercice, un fruit, une compote de fruits, quelques fruits séchés, des craquelins ou une barre tendre faibles en gras sauront vous redonner une dose d'énergie nécessaire à un entraînement optimal. Les protéines et le gras, pris juste avant la période d'entraînement, pourront nuire à votre performance.

LA COLLATION POST-EXERCICE

Elle apportera des glucides et des protéines dans un ratio idéal de 3/1. Un bol de céréales avec du lait, un « smoothie » composé de fruits, de lait à 1% ou écrémé, d'un muffin faible en gras et un verre de lait comptent parmi les bons choix. Toujours en respectant le ratio glucides /protéines, vous choisirez une collation plus ou moins calorique selon l'intensité de l'activité physique et votre désir de perdre du poids ou non.

Quelques collations idéales post-entraînement

Collations	Calories (kcal)	Glucides (g)	Protéines (g)	Matières grasses (g)
2 dattes séchées + 15g de fromage cheddar	112	15	4	4
30 ml de raisins secs + 35ml de fromage cottage	85	15	4	1
7 biscuits soda + 15ml de beurre d'arachide	139	15	4	7
1 petit Yogourt	80	15	4	3
1 Yop + 1 biscotti aux amandes	209	31	10	8

1 pomme + 125ml de raisins + 1 œuf (gros) cuit dur	197	30	8	5
1 muffin maison, nature ou au son + 250 ml de lait ou boisson de soja enrichie	238	30	16	6
250 ml lait + 50g tofu + 1 banane (shake)	316	45	16	8
1 œuf cuit dur + 30g de fromage cheddar + 4 melba + 1 pomme + 300 ml melon d'eau	369	45	18	13
125 ml salade de légumineuses + 1 pomme + 1 jus de fruits	285	45	15	5

L'IMPORTANCE DE L'HYDRATATION

Avant, pendant et après l'activité physique, l'hydratation est essentielle. Dans les heures qui précèdent la séance d'entraînement, il est suggéré de boire environ 500 ml d'eau. Au cours de l'activité, un minimum de 150 ml d'eau aux 15 à 20 minutes est recommandé. Une bouteille de 500 ml suffira pour un entraînement d'une heure. Les boissons contenant des glucides deviendront des outils pour les entraînements prolongés. Pour faire quelques économies, on peut créer sa propre boisson d'effort en mélangeant 3 parts de jus d'orange pour 2 parts d'eau. Enfin, après l'entraînement, les boissons de récupération apportant glucides et protéines pourront remplacer la collation post-entraînement.

QUELQUES TRUCS POUR RESTER MOTIVÉ À BIEN MANGER :

➤ **Mangez des aliments que vous aimez.** Rien ne sert de vous gaver de tofu parce que c'est bon pour la santé si vous n'avez pas de plaisir à le manger. Trouvez des aliments sains qui vous procurent du plaisir.

➤ **Essayez une nouvelle recette santé par semaine.** Développez des recettes de muffins variés que vous mangerez avant ou après l'entraînement. Achetez-vous un livre de cuisine au wok. Faites vos propres biscuits en contrôlant le sucre et le gras que vous y mettrez…

➤ **Éloignez la balance.** Une pesée par mois suffit. Le poids varie de jour en jour en fonction de plusieurs facteurs. Rien ne sert de vous décourager pour rien parce que votre balance affiche le même poids malgré vos efforts. Prenez plutôt vos mensurations, elles refléteront de façon plus juste vos changements corporels.

➤ **Achetez un nouvel aliment par mois :** un fruit exotique, une nouvelle sorte de céréales ou un dessert au soya… Prenez le temps de surveiller les nouveaux arrivages chez votre épicier.

➤ **Faites des soupers avec des amis en ayant pour thème la santé.** Pourquoi les repas santé ne devraient pas être tendances ?

Le seul constat qu'une meilleure alimentation améliore votre performance sportive, votre vitalité et votre capacité de concentration saura vous convaincre de la pertinence de continuer. Bientôt, mieux manger ne sera plus considéré comme un effort mais s'intégrera naturellement à vos habitudes de vie.

L'INVENTAIRE DU SPORTIF

Un sportif averti a aussi un garde-manger organisé. Des aliments à conserver en tout temps :

- Des fruits séchés
- Des noix et graines
- Des barres tendres faibles en gras
- Des craquelins faibles en gras
- Des céréales froides et chaudes (gruau, crème de blé)
- Des pâtes alimentaires, du riz et du couscous
- Des fèves de soya grillées
- Des boîtes de thon et de saumon en conserve
- Du beurre d'arachide
- Des boîtes de légumineuses en conserve
- Du lait
- Du jus non sucré
- Du jus de légumes
- Des yogourts faibles en gras
- Des fruits frais et surgelés
- Des œufs
- Du pain de grains entiers
- Des légumes frais et surgelés

■ ■ ■ ■ ■

LES BIENFAITS DE L'ACTIVITÉ PHYSIQUE

Les vertus de l'exercice physique ne sont plus à prouver : une meilleure santé cardiovasculaire, le maintien ou la perte de poids, l'amélioration de la qualité du sommeil, une meilleure concentration, la gestion du stress en sont de bons exemples. Plus on s'entraîne physiquement, plus grande devient la motivation à mieux s'alimenter, à arrêter de fumer (si tel est le cas), à se coucher plus tôt. Il y a définitivement un effet « boule de neige » quand on décide de prendre en charge sa santé.

Chose certaine, même si on connaît les bienfaits que procure l'activité physique, on n'en fait pas nécessairement. Il s'agit d'une question d'éducation, de valeurs, d'attitude et… d'habitudes. Ces dernières sont probablement les plus difficiles à acquérir. Savoir se motiver à faire de l'exercice est sans aucun doute la clé. À partir du moment où on commence à bouger, l'effet d'entraînement s'installe et tout devient plus facile. Il n'est pas nécessaire de remporter une médaille aux Jeux olympiques ou d'avoir le corps d'un Adonis pour bénéficier de l'exercice physique. Le simple fait de mieux dormir, d'augmenter son estime personnelle et sa confiance en soi, d'améliorer sa silhouette et de rehausser son niveau d'énergie, voilà des arguments convaincants pour les adeptes et les profanes.

UNE QUESTION D'HABITUDES

« Vous êtes ce que vous faites à répétition. L'excellence n'est pas un événement − c'est une habitude. »

ARISTOTE
PHILOSOPHE
ET SCIENTIFIQUE GREC,
384-322 AV. J.C.

Avez-vous besoin de motivation pour vous brosser les dents chaque matin et chaque soir ? Ou est-ce devenu une habitude ? Il a pourtant fallu que vos parents vous motivent à vous brosser les dents avant que ceci ne devienne un rituel quotidien. Il en va de même pour plusieurs activités quotidiennes. Lorsqu'elles deviennent une habitude, elles finissent par se faire naturellement, soit beaucoup plus par habitude que par nécessité, décision ou désir.

Il est prouvé qu'entre 21 et 28 jours de répétition quotidienne d'un comportement quelconque sont nécessaires afin de créer une nouvelle habitude ou d'en changer une ancienne. (source : Psycho-Cybernetics, *Maxwell Maltz*). Bien entendu, personne ne souhaite se rendre au gym pendant 28 jours consécutifs! Sans entrer dans des détails trop techniques, voici ce qui peut grandement améliorer la motivation à aller au gym sans que cela ne devienne un effort de persuasion à chaque séance prévue au calendrier.

Lorsque vous serez fixé sur votre choix d'activité, je vous recommande de prévoir deux mois complets sans interruption possible. Deux mois d'assiduité parfaite. Notez vos séances dans votre planificateur et allez coûte que coûte au gym chacune des fois prévue, même s'il ne s'agit que d'une moitié de séance. L'important est de conditionner votre corps et votre esprit à y aller. Après le premier mois, le pire est passé. Et après deux mois, l'habitude est enclenchée. Il s'agit, pour se faire, de créer une routine de trois fois par semaine, pendant huit semaines, ce qui donne 24 séances au total. Ainsi, on se rapproche des données suggérées par Maxwell Maltz qui a établi entre 21 et 28 le nombre de jours consécutifs nécessaires pour changer ou développer une habitude.

TÉMOIGNAGE

À la suite d'un infarctus en juin 1982, à l'âge de 44 ans, mon médecin m'a fortement conseillé de cesser de fumer; essai après essai, ce fut un échec total. Quelques années plus tard, soit en 1985, j'ai dû subir une opération à coeur ouvert (trois pontages). À ce moment, j'ai pris la décision d'arrêter de fumer pour de bon. Mon cardiologue m'a suggéré vigoureusement de changer mon alimentation et de faire trois kilomètres de marche rapide par jour. Comme nous étions au début de novembre et que les trottoirs sont souvent glissants à ce moment de l'année, j'ai pris la décision de m'inscrire chez Énergie Cardio pour une période de trois mois. J'ai commencé avec dix minutes par jour de cardio, augmentant la durée un peu tous les jours; après deux à trois mois, je m'aperçus que mon muscle cardiaque se renforçait. J'ai depuis renouvelé pour un abonnement annuel. Je fréquente le centre Énergie Cardio trois fois par semaine depuis plus de 18 ans, à raison d'une heure de cardio, de 20 minutes d'étirements et de 20 minutes de conditionnement physique. Âgé maintenant de 66 ans, je suis en superbe condition physique; une rencontre une fois par année avec mon médecin me le confirme. Je recommande aux amis l'entraînement chez Énergie Cardio : l'essayer, c'est l'adopter ! Je remercie sincèrement l'équipe d'entraîneurs en place; ils sont formidables et prêts à répondre à toutes nos attentes.

Monsieur Louison Doyon
SAINT-GEORGES DE BEAUCE

RESPECTER SES LIMITES

« C'EST EN TENTANT DE SE RENDRE AU SOMMET D'UN SEUL ÉLAN QUE TANT DE MISÈRE EST CRÉÉE DANS CE MONDE. »

WILLIAM COBBETT
JOURNALISTE ET RÉFORMATEUR

Rien de plus frustrant que d'avoir réussi à créer un momentum, à se sentir bien et en plein pouvoir sur ses nouvelles habitudes de vie saine, et puis clac ! … le corps lâche ! Une blessure se produit et une interruption de l'entraînement s'impose.

Afin de vous aider à garder la motivation et d'éviter les blessures et les frustrations qui s'en suivent, je vous recommande de consulter votre médecin et le personnel qualifié de votre gym qui sauront vous éviter de dépasser vos limites. Trop vous en demander n'aura pour effet que de vous faire reculer inutilement dans votre démarche de mieux-être et de mise en forme. Sans compter le cycle de vos habitudes qui risque d'être ébranlé.

Sachez être à l'écoute de votre corps. Parfois, il est vrai que l'on « s'écoute trop » et que l'on se prête à des tentatives de sabotage personnel. Mais il n'en demeure pas moins qu'à l'occasion, le corps a raison. Il en revient à vous de juger si c'est votre esprit bourré d'excuses qui tente d'attirer votre attention et de pernicieusement reconquérir cette bataille si durement acquise contre vos anciennes habitudes sédentaire ou s'il s'agit réellement d'un corps risquant de se blesser qui parle.

TÉMOIGNAGE

Lorsque j'ai commencé le programme Kilo Cardio, j'avais en tête de le faire pour les autres et non pour moi. Lorsque je perdais une livre, je trouvais que ce n'était pas assez. C'est alors que mon entraîneur m'a expliqué que de perdre une livre était mieux pour mon corps et moins dangereux que d'en perdre quatre! C'est à ce moment là que j'ai commencé à m'entraîner pour moi! Parfois je me décourageais, car je croyais ne jamais y arriver, mais les entraîneurs m'ont toujours encouragée à pousser un peu plus loin. Mon succès est bien sûr dû à ma volonté, mais aussi à mon entraîneur qui était là pour moi, qui m'a toujours félicitée et qui m'a fait remarquer toutes les étapes accomplies. Je conseille Kilo Cardio pour les adolescents qui veulent atteindre leur poids santé! L'important, avant de dire que ça ne fonctionne pas, c'est de l'essayer et de se faire confiance!

Poids au début du programme : 234 lbs
Poids après un an : 159 lbs

Émilie Lamoureux-Leclerc

15 ANS
DUVERNAY

LA DOUCHE :
LE GRAND NETTOYAGE

« FAITES ATTENTION À L'ENVIRONNEMENT QUE
VOUS CHOISISSEZ CAR IL VOUS INFLUENCERA;
FAITES ATTENTION AUX AMIS QUE VOUS CHOISISSEZ
CAR VOUS DEVIENDREZ COMME EUX. »

W. CLEMENT STONE
AUTEUR ET ENTREPRENEUR

Avez-vous déjà senti que votre entourage n'était pas idéal pour vous aider à réaliser vos rêves et vos objectifs ? Que les personnes le constituant deviennent plutôt de mauvaises influences et des « éteignoirs » que des individus encourageants qui ne vous jugent pas et qui se mettent à votre disposition pour vous aider à progresser ? Si oui, vous n'êtes pas seul ! Dans ce chapitre, nous verrons l'importance de bien s'entourer afin d'augmenter sa motivation à aller au gym et à atteindre ses buts. De plus, nous verrons comment éliminer d'autres influences néfastes : les mauvaises habitudes !

C'est ce que j'appelle faire le « grand nettoyage ». Il est important de débuter et de poursuivre sa démarche d'entraînement assidue allégé de ces poids épuisants, inutiles et destructeurs.

ATTENTION AVEC QUI TU TE TIENS

« TENEZ-VOUS À L'ÉCART DE CES PETITES
PERSONNES QUI TENTERONT D'ÉTOUFFER VOS
AMBITIONS. CERTAINES PERSONNES FONT ÇA, MAIS
LES PLUS GRANDES VOUS FERONT SENTIR QUE VOUS
AUSSI, VOUS POUVEZ DEVENIR TOUT AUSSI GRAND. »

MARK TWAIN
ÉCRIVAIN ET HUMORISTE

Alors que j'allais visiter ma grand-mère parfois le week-end, je profitais du fait que sa demeure se situait dans les Laurentides – à Sainte-Agathe – pour aller jogger chaque matin autour du Lac des Sables. À mon retour, grand-maman me répétait qu'il était « dangereux pour mon cœur » de courir ainsi. De son côté, ma mère me disait de manger le gras autour de mon steak, substance qui était supposée m'aider à digérer. Imaginez ! C'était la fin des années soixante-dix ! Ces deux femmes qui ont fait beaucoup pour moi et que j'adore ne voulaient certainement pas me causer de tort. Ce qu'elles me disaient était des croyances profondément ancrées en elles. Elles n'ont heureusement jamais réussi à me convaincre de manger du gras et d'arrêter de jogger !

Mais au-delà des simples croyances que certains membres de votre famille peuvent promulguer, il existe sûrement, au sein de votre cercle d'influences, de ces petits saboteurs de succès. Lorsque vous avez un idéal ou un rêve qui dépasse le niveau d'accomplissement des membres de votre entourage (famille, amis, collègues), vous vous exposez à une avalanche de messages négatifs réprobateurs qui peuvent malheureusement avoir un effet pervers dont souffriront vos projets. En effet, il est dans la nature humaine de ne pas aimer se faire pointer du doigt ses faiblesses et ses échecs. Face à l'engagement que vous venez de prendre, plusieurs individus de votre entourage qui demeurent passifs peuvent devenir sur la défensive devant vous qui tranchez avec leur manque de volonté ou leur incapacité de passer à l'action. C'est toujours plus facile de tirer quelqu'un vers le bas que de faire les changements et les efforts pour se hisser vers le haut avec lui. Dorénavant, vous aurez donc à vous faire éminemment sélectif par rapport aux personnes que vous côtoierai. Les messages provocateurs et l'énergie négative qui émanent de certaines fréquentations pourraient malheureusement nuire à votre précieuse démarche. Attention, donc, aux personnes avec qui vous choisissez d'entretenir des relations; ces dernières peuvent avoir un effet tout aussi motivateur que néfaste sur votre engagement à aller au gym.

Il est important de noter que plus vous serez assidu, plus vous retrouverez, dans votre cercle d'amis et de connaissances, le genre de personne que vous êtes et que vous souhaitez devenir. Une personne qui prend son corps et sa santé en main. On finit toujours, en fin de compte, par attirer ce qui nous ressemble.

S'ATTENDRE À LA DÉSAPPROBATION

« Laissez les autres mener de petites vies, mais pas vous. Laissez les autres argumenter sur de petits détails, mais pas vous. Laissez les autres se plaindre de petites souffrances, mais pas vous. Laissez les autres avoir leur avenir entre les mains d'autrui, mais pas vous. »

Jim Rohn
Auteur et conférencier

À tort, je le sais, la plupart des gens inactifs autour de vous n'accueilleront probablement pas votre décision et vos nouvelles habitudes de vie (entraînement, alimentation, sorties mieux planifiées,) d'un bon œil. Certains n'en feront pas mention, d'autres disparaîtront et peut-être devez-vous prévoir les éclats de rire et les autres remarques sarcastiques émis par une poignée d'individus : « HA!HA!HA!… toi aller au gym… ben oui… pis moi je vais faire les olympiques dans quatre ans! », « Et puis Hélène, viens-tu souper avec nous autres ou bien tu t'en vas suer à ton ti-gym? Dans combien de temps est-ce que tu vas abandonner…? ». Malheureusement, vous savez comme moi que ces commentaires et ces individus sont biens réels. Et comme ils ne disparaîtront pas comme par magie, c'est à vous de vous demander si vous avez la patience et la volonté d'endurer ces invectives. Ou peut-être préférerez-vous tout simplement faire le ménage et changer graduellement votre réseau d'amis et de contacts. Et dites-vous que paradoxalement, les gens qui vous aiment sont parfois les plus durs et les plus cinglants à votre égard. Vous aurez toujours le choix de leur donner raison ou d'écouter vos désirs personnels et de tenter par tous les moyens de connaître le bien-être que vous méritez.

CHASSER LES DÉMONS

La nouvelle habitude de s'entraîner régulièrement au gym entraînera plusieurs modifications -dans votre rythme de vie, notamment le temps consacré au gym, une consommation accrue d'eau et d'aliments sains, un choix d'amis et de fréquentations différents.

Inversement, votre nouvel engagement vous obligera à abandonner certaines de vos habitudes nuisibles. On dit « oui » à certaines choses, mais on doit aussi clamer « non » à d'autres, comme aux sorties bien arrosées la veille de la journée au gym. Remarquez que c'est faisable, mais qu'il s'avère difficile de conserver le même niveau d'intensité! Certains devront penser à planifier avec leur conjoint la garde et les activités des enfants. D'autres devront aller au lit plus tôt, surtout s'ils ont choisi de s'entraîner tôt le matin, avant le travail. Enfin, on a tous sa part de deuil à faire lorsqu'on décide d'atteindre un niveau d'assiduité assez important pour réaliser ses objectifs. Afin de vous aider à chasser vos démons, voici un exercice que je vous propose. Faites d'abord la liste des habitudes et des comportements à éliminer. À côté de ses comportements, énumérez l'élément avec lequel vous allez le remplacer. En effet, il est plus facile de se débarrasser d'une mauvaise habitude en sachant d'avance avec quoi elle sera remplacée. C'est surtout pratique pour ces fâcheux moments de « rechute ». Voici quelques exemples :

À éliminer :		Remplacer par :
Couché après minuit	➤	Aller au lit à 23h30 avec un livre
Vin et bière semaine	➤	Eau, jus raisin et/ou tisane
Collations du soir	➤	Un yogourt et un fruit
Rendez-vous affaires fin journée jour de gym	➤	Dernier rendez-vous à 16h30
Sauter des repas	➤	Garder des amandes et barres dans la voiture

EXERCICE PERSONNEL - Chassez les démons

À éliminer :   **Remplacer par :**

À éliminer :		Remplacer par :
_____	➤	_____
_____	➤	_____
_____	➤	_____
_____	➤	_____
_____	➤	_____
_____	➤	_____

Cet exercice vous aidera à développer de nouveaux réflexes et de meilleures habitudes.

Je vous encourage également à revisiter votre liste de *pourquoi* contenue dans le premier chapitre, surtout lorsque vos vieux démons surgissent.

Une dernière idée qui peut vous aider à vous tenir loin de vos vieilles habitudes est justement de les considérer comme tel. C'est-à-dire de persévérer dès le moment où la décision est prise et ce, pour une période minimum consécutive de 28 jours, tel que discuté dans le chapitre précédent au sujet des habitudes. Par exemple, si vous avez pris l'engagement d'aller au gym très tôt le matin avant votre journée de travail afin d'être avec votre famille en fin de journée, vous devrez aller tôt au lit, probablement plus tôt que ce à quoi vous êtes habitué depuis des mois, voire des années. Or, vous départir de votre vieille habitude (« démon ») de vous coucher tard, par exemple, signifie que vous devrez consacrer les 28 prochains soirs consécutifs à vous coucher à la nouvelle heure choisie. Et pour vous aider à procéder ainsi, vous pouvez, si vous aviez l'habitude de regarder des émissions de télévision de fin de soirée, remplacer cette habitude par la lecture. Ou peut-être pouvez-vous enregistrer votre émission préférée et la regarder le lendemain avant d'aller au lit... plus tôt !

LE REPOS :
LA PÉRIODE DE RENFORCEMENT

Afin de mettre toutes les chances de votre côté, et maintenant que vos « amis » désapprobateurs sont éloignés, voici quelques autres recommandations qui vous aideront à réaliser vos objectifs :

FAIRE LE BILAN

Quotidiennement, surtout durant la période cruciale des deux premiers mois, je vous recommande fortement de garder un *journal de réussite*. Ce journal deviendra pour vous un véritable point d'appui durant votre (nouvelle) démarche. Il s'agit d'entretenir un dialogue personnel concernant vos efforts quotidiens. Il devrait être tout à fait confidentiel et vous pouvez y écrire vos réussites autant que vos frustrations. C'est une sorte d'assurance contre les fameux saboteurs qui règnent autour de vous, incluant vous-même. Oui, j'ai bien dit « vous-même ». Vous n'êtes pas, en effet, sans savoir que le plus grand obstacle, ce sera vous.

Ce *journal de réussite*, donc, deviendra rapidement une *filière de réussite*. C'est-à-dire qu'il servira non seulement à vous exprimer et à vous défouler, mais très bientôt, il sera utile pour vous motiver. En effet, vos victoires d'hier deviendront vos inspirations d'aujourd'hui et de demain. Quoi de plus convaincant que ses propres victoires et transformations personnelles lorsque le bât blesse et que la motivation devient fragile ? Il est très rassurant de voir que toutes les étapes passées ont été réalisées grâce à une seule chose : sa propre détermination ! Ce journal dans lequel vous ferez, entre autres, le bilan de vos succès quotidiens, deviendra un allié précieux, de jour en jour. Autant pour vous aider à persévérer qu'à rehausser votre confiance en vous dont vous prendrez conscience en relisant vos réalisations passées confiées à votre intime compagnon.

LE RENFORCEMENT PERSONNEL POSITIF

Bien qu'il soit possible d'être encouragé par son entourage, rien de mieux que de le faire soi-même. Il s'agit tout simplement de savoir se féliciter mentalement et verbalement pour le simple fait de s'être rendu au gym, par exemple. On peut aussi le faire lorsqu'on a complété sa routine ou suivi son cours de groupe, malgré la fatigue. Ne craignez pas le ridicule. En entrant dans la voiture après l'entraînement, dites-vous : « Ouais… j'suis vraiment fier de moi… dire que j'étais épuisé avant de venir ici… eh que j'vais bien dormir ce

soir ! ». Soyez content d'y être allé, d'avoir fait ce que vous avez fait. Cette attitude et ce monologue intérieur sauront façonner votre confiance et repoussera vos instincts d'abandon et de paresse qui pourraient survenir sournoisement lors de la prochaine période d'entraînement. Ils vous rendront aussi plus autonome dans votre quête d'approbation. Votre motivation en sera plus grande et plus solide. Remarquez aussi l'énergie qui vous imprègne, votre sensation de légèreté et cette indescriptible et unique impression de « propreté » qui suit une bonne séance d'exercices.

Dans le prochain et dernier chapitre, j'aborderai l'étape de la récompense même. Mais avant de se plonger au cœur de ce sujet, je tiens à vous parler de l'habitude de renforcement personnel positif qui permet au subconscient d'associer entraînement et sentiment personnel fort et positif. Cette combinaison constitue une valeur sûre lorsque l'objectif visé est de vaincre ses excuses, ses démons intérieurs et la désapprobation qui peut parfois régner autour de soi. Ainsi, il sera plus facile pour vous de créer et de conserver cette habitude d'aller au gym.

LE SAVIEZ-VOUS?

Une légère dose d'endorphines est aussi sécrétée lorsqu'on raye un item de sa liste de choses à faire dans son planificateur. Il n'est pas rare que l'on inscrive une tâche déjà accomplie à son carnet de rendez-vous et de choses à faire afin d'obtenir ce sentiment de satisfaction tant recherché.

N'hésitez donc pas à toujours inscrire votre séance d'entraînement dans votre planificateur afin d'obtenir cette sensation unique d'accomplissement. Cette dernière saura vous aider à demeurer motivé. Et si vous sautez une journée d'entraînement, l'activité non barrée de votre planificateur saura sans doute vous motiver davantage à ne pas manquer votre prochaine période au gym.

REVISITER SES OBJECTIFS ET SES « POURQUOI »

Afin de conserver votre motivation, je vous suggère aussi de revoir vos objectifs régulièrement (chapitre 2). Cette étape est importante puisqu'on finit parfois par perdre de vue la cible que l'on s'était fixée et que l'on risque de devenir nonchalant ou blasé. Sans oublier que le temps passe et que l'objectif de « 3 mois » ou de « 6 mois » approche plus rapidement que l'on ne le croyait. Il faut donc réajuster son tir ou parfois accélérer son rythme. Vos objectifs peuvent parfois changer aussi en cours de route. Pour ma part, après ma période d'un peu plus de deux ans d'inactivité entre la mi-2002 et l'automne 2004, mon premier objectif était de perdre les kilos superflus. Finalement, après quelques semaines, j'avais besoin de plus. Je souhaitais toujours perdre ces fameux kilos mais je voulais aussi reprendre de la masse musculaire. Avec mon entraîneur, nous avons révisé mon programme et nous l'avons ajusté en fonction de mes objectifs, tout en respectant mon état de santé du moment.

Vous aurez sûrement aussi de nouveaux objectifs en cours de route. Aujourd'hui, vous voulez peut-être simplement retrouver plus d'énergie et de vitalité, mais dans quelques mois, vous serez peut-être décidé à courir 5 kilomètres. À cet effet, je vous recommande de revoir vos objectifs seul afin d'avoir une idée bien personnelle de ce que vous souhaitez. Discutez-en ensuite avec votre entraîneur !

Nul besoin de vous répéter, à ce stade-ci, que l'idée de revisiter votre liste de *pourquoi* (chapitre 1) est tout à fait indispensable si vous tenez à garder votre motivation à aller au gym. Si cette dernière a disparu de la porte de votre réfrigérateur ou de votre planificateur, ressortez-là et soyez de nouveau convaincu de votre raison de fréquenter le gym !

TÉMOIGNAGE

Il y a maintenant trois ans, j'ai décidé de m'offrir un cadeau : la santé. Pour y arriver, je devais absolument perdre du poids. Au bout de deux ans à faire mon bout de chemin toute seule, j'ai atteint un plateau. La route m'a conduite vers l'exercice physique. C'est à ce moment que j'ai décidé de commencer à m'entraîner chez Énergie Cardio.

WOW ! Quelle bonne idée j'ai eue ! Ça fait maintenant un an que je m'entraîne chez ÉnergieCardio. Au début, je n'avais qu'une seule idée en tête : perdre du poids. Mais au bout d'un moment, j'ai commencé à éprouver un réel plaisir à faire de l'activité physique. J'ai continué à perdre du poids en éprouvant un plaisir fou ! J'ai trouvé un endroit où je me sens, bien où personne n'est jugé et où les employés sont tous là pour nous aider. Ça m'a apporté un bien-être exceptionnel et surtout un grand équilibre. Ne dit-on pas : « Un esprit sain dans un corps sain ! ». Je sais que ce n'est pas facile au début, mais il ne faut pas lâcher. Ça vaut le coup ! Merci encore !

Nadia Fauteux
DUVERNAY

ÉVALUER SA CONDITION PHYSIQUE

L'évaluation de la condition physique joue un rôle important dans la motivation, car elle détermine un point de départ, une condition physique initiale à améliorer. Une fois que vous connaissez votre condition physique, vous pouvez vous fixer des objectifs à court, à moyen et à long terme. Un des aspects motivants à la suite de l'évaluation est d'observer objectivement, aux fils des semaines, la progression de votre condition physique. Cependant, afin de maintenir votre effet de motivation, vous devez vous faire réévaluer aux 8 à 10 semaines.

Afin d'obtenir l'heure juste sur votre condition physique, les entraîneurs disposent d'une multitude de tests qui peuvent circonscrire, chez un individu, l'aptitude aérobique (la capacité du système cardiovasculaire), l'aptitude musculaire (la force et l'endurance des muscles), l'aptitude à la flexibilité (la capacité d'étirement d'un muscle) et la composition corporelle qui inclut le pourcentage de gras et l'indice de masse corporelle.

SE COMPARER OU NON

On me pose souvent la question à savoir s'il est bon de se comparer. Je répondrais que cela dépend de la raison d'être de cette comparaison et de l'intention qui se trouve derrière. Je dois personnellement admettre que j'ai toujours mieux performé dans une discipline (sportive, académique, professionnelle) lorsque je la pratiquais avec des gens plus compétents, expérimentés et talentueux que moi. Que ce soit en natation, à l'école, ou au travail, je cherchais toujours à côtoyer des « plus grands » que moi. En fait, je me suis toujours senti frustré lorsque c'était le contraire, car je n'ai pas de patience avec les gens qui ne me procurent pas de défis. À moins qu'ils finissent par avancer plus vite que moi et qu'ils me dépassent.

Ces personnes gravitant dans mon entourage ou ces célébrités que je croise dans les livres ou à la télévision représentent des « modèles » pour moi. Elles peuvent être des amis, des connaissances, des partenaires d'entraînement, des membres de mon équipe ou même des athlètes professionnels, des acteurs, des humoristes, et qui sait encore, qui m'inspirent à devenir ce que je souhaite devenir, autant sur le plan physique et sportif que sur le plan social et professionnel. Que je les connaisse ou pas, qu'ils me connaissent ou pas, n'a pas vraiment d'importance.

Se comparer à ces individus est un véritable exercice de croissance personnelle. Il s'agit beaucoup plus que d'une simple comparaison ou reconnaissance de mon état actuel. C'est une inspiration à m'élever au-delà de mon propre *statu quo* et à aspirer à un niveau supérieur.

Par contre, se sont présentés des moments où je n'avais que moi comme adversaire ou comme partenaire de jeu, si je puis dire. Par exemple, après ma période de léthargie physique qui a duré deux ans, je n'avais que moi-même avec qui me comparer. Je me comparais avec ce que ce que j'étais, je notais ce que j'étais devenu et je visualisais ce que je voulais devenir.

Se comparer est une activité délicate. Elle implique l'orgueil, ce qui n'augure pas toujours très bien. Pendant longtemps, mon orgueil a été un moteur important pour moi, comme il peut l'être ou l'avoir été pour vous. Cependant, votre ego peut vous jouer de mauvais tours et finir par vous épuiser. Vous avancez et il grossit. Vous avancez encore plus ? Il grossit encore plus vite et se solidifie. On ne gagne jamais et on n'y gagne jamais. Commencer par vous comparer à vous-même par orgueil fera en sorte que vous finirez par vous comparer aux autres, à travers ce même orgueil. Tel est l'aspect pervers de la comparaison. Dans ce sens, elle n'est jamais positive.

La plupart du temps, se comparer veut automatiquement dire se dévaloriser. On cherche instinctivement les parties plus fortes chez l'autre. Le faire à l'occasion peut vous motiver et vous faire grandir. À répétition, cependant, ce type de motivation a un prix élevé. Les gens qui se comparent souvent aux autres dans toutes sortes de conditions (professionnelles, physiques, financières, sociales, amoureuses,) sont souvent des personnes qui ont une faible estime d'elles-mêmes et qui ne sont pas heureuses. Elles sont souvent plus fragiles que le reste du groupe.

De façon générale, le combat doit se situer entre « vous » et « vous ». Entre vos bonnes et vos mauvaises habitudes. Entre vos excuses et vos raisons. Entre vos *pourquoi* et vos *comment*. Entre vos désirs et vos besoins. Entre vos démarches et le *statu quo*. Pas entre vous pis l'autre d'à côté ! Vous avez suffisamment de pression, pourquoi vous en mettre davantage sur les épaules ? Et si celui ou celle avec qui vous vous comparez avait moins de potentiel que vous ? En se comparant, on a souvent tendance à se réduire. Tentez le plus possible de porter votre combat à la bonne place. À vous de juger. Comme j'aime me répéter souvent, ce n'est pas où l'on est rendu qui est remarquable, c'est où l'on s'est rendu à partir d'où l'on est parti.

· ▪ ■ ▪ ·

LA RÉCOMPENSE :
SAVOIR SAVOURER SES VICTOIRES

Au-delà de la décision, de la préparation, de l'action, de la douche satisfaisante et même de la période de repos, rien ne se compare à cette savoureuse récompense, si bien méritée, mais trop souvent négligée.

CÉLÉBRER SES VICTOIRES

« PLUS VOUS SAVEZ CÉLÉBRER ET APPRÉCIER VOTRE VIE, PLUS IL Y A DE CHOSES À CÉLÉBRER DANS LA VIE. »

OPRAH WINFREY
ANIMATRICE TÉLÉ,
PRODUCTRICE ET AUTEURE

L'idée de la victoire est personnelle. Voilà pourquoi il est important d'avoir des objectifs clairs et par écrit. On peut de la sorte mesurer sa réussite, bien qu'il soit difficile de mettre une meilleure estime de soi et un plus grand bien-être au rendez-vous des résultats mesurables. Quoi qu'il en soit, afin de toujours garder une constante motivation, il importe de célébrer ses victoires. Même si vous n'avez pas de témoin ou d'entraîneur qui vous félicite lors de réussites ponctuelles ou lorsque vous franchissez des étapes, planifiez certaines célébrations. Qu'il s'agisse d'un souper au restaurant le week-end suivant votre première semaine d'entraînement assidu, d'un nouveau survêtement sportif longtemps convoité ou d'un massage dans le spa de votre choix, l'effet sur votre motivation sera fort bénéfique. Personnellement, je me rends au *Polar Bear's Club* à Piedmont pour un massage et des saunas scandinaves afin de me récompenser d'avoir franchi des étapes importantes.

Encore une fois, l'effet sur le subconscient n'est certainement pas à négliger. Le fait d'associer un puissant sentiment de victoire à une visite au gym ne pourra que stimuler davantage votre esprit qui mènera votre corps à la prochaine étape, et à la suivante, et ainsi de suite. Je vous propose d'établir d'avance – surtout si vous débutez votre démarche – les moments de votre cycle où vous serez en droit de célébrer et de vous récompenser. Par exemple, tel que mentionné précédemment, une première célébration (un rituel) est méritée :

- à la suite de la première semaine complète de votre engagement;

- après la première série de 4 semaines consécutives complètes;

- après la première étape atteinte – habituellement enregistrée aux trois mois;

- lorsqu'un objectif est atteint – comme celui de pédaler 20 minutes consécutives;

Il n'en tient qu'à vous d'être créatif et de déterminer quelle récompense peut vous motiver davantage. Celle-ci peut être très simple et ne rien coûter. L'important, c'est de l'associer à votre réussite et de la savourer en y pensant. Le reste se fera tout seul.

TÉMOIGNAGE

Amateur de bonne chair et privilégiant l'activité intellectuelle plutôt que l'effort physique, je n'avais participé à aucune forme d'entraînement depuis mes années au collège, il y a de cela 40 ans. Avec les conséquences accumulées au cours de ces années, ma condition se détériorait et mon poids subissait une montée exponentielle qui faisait pâlir de jalousie le rendement de mes placements financiers.

Je me suis rendu à 310 livres pour une taille de six pieds. La motivation n'y était pas. Ma santé était bonne dans la mesure où je pouvais travailler et accomplir les activités que je voulais sans problème, mais les activités étaient surtout sédentaires et je me complaisais dans cet état de fait. J'étais « tanné » de suivre des diètes et de voir mon poids regrimper aussitôt que ladite diète était finie.

Finalement, il y a exactement un an, un déclic s'est produit lorsque j'ai dû m'acheter des vêtements que je ne pouvais trouver que dans des magasins spécialisés. J'étais « fatigué » de ne pas pouvoir m'habiller dans un style plus élégant. Ma motivation était donc l'orgueil, et même si cette motivation peut être considérée un peu folle, je m'en balançais, car l'important était l'objectif fixé.

Ainsi, j'entrepris un plan d'action précis. Je commençai par manger différemment en éliminant de mon alimentation les sucres, les gras et les aliments à haut indice glycémique, mais jamais en me considérant à la diète. C'est une autre façon de manger que j'ai adoptée pour le reste de ma vie. Une fois une vingtaine de livres perdues, je me sentais beaucoup plus mobile et alerte; c'est donc à ce moment que j'entrepris l'entraînement chez Énergie Cardio. Ça ne me tentait pas, mais je n'avais pas le choix et je le savais.

Pour commencer, j'ai pris deux sessions avec un entraîneur privé. La raison de mon choix de programme supervisé était simple : des entraînements planifiés avec rendez-vous, ce qui allait m'aider à me motiver. Un entraîneur allait me guider et m'aider à introduire le conditionnement physique dans ma vie, et ce, en toute sécurité et en évitant les blessures. J'ai commencé en octobre 2003 avec un poids de 290 livres et un pourcentage de tissus adipeux de 38 %; je me comparais à un riche Camembert... Dieu que j'ai eu mal aux muscles durant l'hiver. Mes 548 muscles se réveillaient d'un coma profond et le réveil a été brutal. J'ai pourtant persisté, gardant le cap sur mon objectif : m'acheter un habit Hugo Boss.

Ainsi, à raison de trois sessions intensives par semaine, je cheminais à bon pas. Maintenant, j'ai mon programme que je poursuis de façon autonome et tout va bien, car je me sens bien encadré chez Énergie Cardio. Les suivis avec les membres sont bien présents et au moindre problème, une attention particulière nous est fournie. L'ambiance est agréable, le centre est propre, et je ne me suis jamais senti comme le gros qui veut rivaliser avec le musclé. Après un an, je suis toujours assidu; mes nouvelles habitudes de vie font partie intégrante de ma routine quotidienne. Je ne peux pas affirmer que je vais toujours m'entraîner avec un enthousiasme délirant, mais l'entraînement physique fait maintenant partie de ma vie et je ne me pose plus de questions : j'y vais, c'est tout!

Je pèse actuellement 200 livres et j'ai un pourcentage adipeux de 23 %, mon poids de 25 ans! J'ai donc perdu 110 livres en un an et je suis très fier. Mon habit Hugo Boss est acheté! Je n'ai plus d'objectif de poids précis. Les gens me demandent quand je vais cesser de perdre du poids. Je leur réponds : « ARRÊTER QUOI? Mon entraînement? Ma nouvelle façon de m'alimenter (qui n'est aucunement une diète)? NON, je me sens très bien avec mes nouvelles habitudes de vie et je continue comme ça! » En date du 16 décembre 2004, j'ai maintenant stabilisé mon poids à 190 livres (perte totale de 120 livres) et je porte la taille que je portais à 20 ans. La forme physique est proportionnelle à cette perte de poids.

Merci beaucoup Énergie Cardio!

Daniel Tozzi
VIEUX-MONTRÉAL

COMMUNIQUER SES SUCCÈS

Un autre facteur positif important qui renforce la loyauté envers le gym est la communication de ses succès à son entourage. Bien entendu, il doit s'agir de personnes qui sont prêtes et intéressées à vous écouter. Vous trouverez des oreilles attentives auprès du personnel des centres Énergie Cardio, de votre entraîneur – si vous en avez un –, de certains membres que vous avez appris à connaître durant toutes ces semaines et ces mois passés au centre.

Certains collègues de travail qui s'entraînent et qui s'intéressent à votre nouvelle démarche peuvent aussi se montrer ouverts à vos progrès. Et bien sûr, vos *vrais* amis seront toujours à l'écoute de vos récentes réussites.

Dans l'un des centres Énergie Cardio où je m'entraîne, Philippe, l'un des membres qui partageait le même entraîneur personnel que moi, commençait sa session avec l'expert en conditionnement physique immédiatement après la mienne, plus tard en soirée. À force de se croiser, nous avons fini par nous connaître et par partager notre expérience d'entraînement et notre appréciation de l'entraîneur. L'objectif de mon compagnon était d'accroître sa masse musculaire (il était très mince). Étant aussi de nature plus introvertie, il parlait presque essentiellement de ses défauts et de son mince progrès comparativement à ses objectifs, par ailleurs fort élevés pour un début de processus. Après les premières semaines d'entraînement, il sentait qu'il stagnait et on remarquait que sa motivation n'était pas idéale. Malgré les encouragements de son entraîneur, il hésitait toujours à me communiquer ses progrès, même s'ils étaient bien présents. À force de lui rappeler les changements que je remarquais par rapport à son développement et aux charges impressionnantes qu'il pouvait supporter malgré sa grosseur, il s'est senti petit à petit plus à l'aise de parler de ses succès. Du même coup, sa progression et sa motivation ont connu une poussée exponentielle; les résultats qu'il souhaitait se sont manifestés plus rapidement.

J'ai aussi été témoin d'une femme approchant la cinquantaine, Élaine, qui a réussi à se remettre à pratiquer l'une de ses activités favorites durant sa jeunesse, soit la danse sociale. C'est grâce à ses nouvelles habitudes d'entraînement qu'elle s'est sentie confiante de reprendre des cours et de participer à des soirées de danse. Elle s'est mise à parler de ses progrès dans cette dernière discipline avec son entourage et cela l'encourage aujourd'hui à poursuivre le gym et la danse avec un grand enthousiasme et une énergie renouvelée. Élaine trouve beaucoup de privilèges à s'entraîner et ce, sans compter son cercle d'amis qui s'élargit et sa vie sociale qui s'améliore. Elle me confiait même comment ces quelques soirées où elle pratique de l'activité physique par semaine avait changé son regard sur ses responsabilités professionnelles en réduisant son niveau de stress.

Même si cela n'est pas dans votre nature première de parler de vos progrès et de vos réussites, tentez votre chance. Vous serez surpris de constater à quel point votre énergie sera plus positive et comment vous vous sentirez plus motivé.

Bien que votre journal de réussite sera témoin de toutes ces merveilleuses étapes franchies, il n'y a rien, selon moi, qui puisse remplacer l'exercice de le communiquer verbalement. Telles les célébrations, partager ses réussites est un besoin que nous ressentons naturellement. Il s'agit d'un rituel tribal qui suit encore l'être humain. Autrefois, la tribu dont nous faisions partie se réunissait autour du feu et chacun partageait ses difficultés – afin d'obtenir du support moral ou matériel – ou ses victoires avec le reste des membres de la tribu. C'est tout à fait normal, sain et vital de communiquer ses victoires. Allez-y, parlez-en ! Ce n'est pas se vanter.

■ ■ ■ ■ ■

CONCLUSION

« CE QU'IL Y A DEVANT NOUS ET CE QUE NOUS
LAISSONS DERRIÈRE, CELA EST PEU DE CHOSE
COMPARATIVEMENT À CE QUI EST EN NOUS. ET
LORSQUE NOUS AMENONS DANS LE MONDE CE QUI
DORMAIT EN NOUS, DES MIRACLES SE PRODUISENT. »

HENRY DAVID THOREAU
AUTEUR

Trouver et garder la motivation au gym demeure et demeurera une aventure bien personnelle. Il arrive plus ou moins les mêmes choses à ceux qui réussissent et à ceux qui abandonnent. La différence, c'est le degré de valeur que l'on attribue à cette démarche, et de façon plus importante, à sa santé. Au-delà de la beauté du corps, de la dimension de ses muscles, de la force et du plaisir, il n'en demeure pas moins que cette expérience se soldera par la réalisation d'une meilleure santé, et par le fait même, d'une meilleure qualité de vie.

ÊTRE MAÎTRE DE SA DESTINÉE

« VOUS NE POUVEZ ÉCHAPPER À VOTRE
RESPONSABILITÉ DE DEMAIN EN L'ÉVITANT
AUJOURD'HUI. »

ABRAHAM LINCOLN
SEIZIÈME PRÉSIDENT DES ÉTATS-UNIS

D'une personne à l'autre, cette qualité de vie peut se traduire de différentes façons. Par contre, certaines constantes sont indiscutables, comme par exemple, une absence de maladies, une meilleure énergie, une plus grande mobilité et flexibilité, une endurance accrue et une meilleure estime personnelle. L'estime de soi et la confiance en soi sont des atouts tout à fait gagnants dans un monde où la loi du plus fort tient bien sa place. Les ressources et les efforts de moins en moins importants de nos gouvernements à assurer à la population vieillissante les soins dont elle aura besoin sont une réalité. Or, la loi du plus fort se jouera aussi dans le domaine des choix liés à l'état de santé de chacun.

Au de-là de ses aspirations les plus profondes et de ses objectifs les plus clairs, on a tous une responsabilité envers son corps. Il nous a été prêté. C'est à nous de l'honorer, tel nous honorons la Vie. Cette même Vie que nous tentons de plus en plus et de mieux en mieux de protéger au nom des générations futures, on l'appelle patrimoine environnemental. Mais que fait-on de son propre « patrimoine personnel » ? Celui qui permet de vivre, d'aimer, de bouger et de réaliser ses rêves et ses projets les plus chers ? Voilà une question fondamentale de respect pour soi, de respect pour la Vie. Il est impossible d'aspirer à de grandes réalisations dans un corps que l'on a abandonné.

DEVENIR UNE MEILLEURE PERSONNE

« En vieillissant, vous découvrirez que les choses que vous regrettez sont seulement celles que vous n'avez pas faites. »

ZACHARY SCOTT

ACTEUR

On constate de plus en plus la transformation du profil du *leader* d'aujourd'hui (par leader, je ne fais pas exclusivement référence à un leader d'entreprise, mais bien au leader – masculin ou féminin – d'une famille, d'une communauté, d'une équipe, d'une nation, etc.). Or, au milieu du siècle dernier, il n'était pas rare de remarquer le leader typique avec un ventre bien rond, un cigare ou une cigarette à la main, et parfois même un verre de boisson dans l'autre. Ce dernier, principalement masculin à l'époque, a connu une importante cure de jouvence et d'amincissement. En effet, il n'est pas rare de voir le leader d'aujourd'hui prendre plutôt une heure ou deux de ses journées, trois à quatre fois par semaine, pour aller au gym, plutôt que d'accepter une (autre) invitation à un souper d'affaires copieux et bien arrosé. Le leader d'aujourd'hui a un rapport plus humain avec la réussite. La cote de priorité et d'équilibre accordée aux valeurs familiales est de plus en plus grande. Surtout si on compare avec ce qui se passait vingt ou trente ans auparavant. Et on en redemande davantage ! Une piste prometteuse est en train de s'ouvrir.

Comme beaucoup de parents, je m'inquiète pour la génération en devenir. Raison de plus pour devenir un modèle vis-à-vis des enfants en étant le plus actif possible. Le leader de demain est l'individu qui met sa santé et celle de sa communauté (famille, équipe, entreprise, nation) à l'avant plan. Et cette démarche saura faire de nous tous de meilleures personnes, autant intérieurement qu'extérieurement.

UN JOUR À LA FOIS

> « AYEZ LA CONFIANCE QUE SI VOUS RÉUSSISSEZ À
> BIEN FAIRE UNE PETITE CHOSE, VOUS POUVEZ AUSSI
> EN FAIRE UNE GRANDE TOUT AUSSI BIEN. »
>
> **DAVID STOREY**
> ROMANCIER ET AUTEUR DE THÉÂTRE

L'idée de commettre des abus est humaine. Ce livre n'enseigne pas l'abstinence. Il expose d'abord et avant tout la question du choix et de l'équilibre de vie. On doit toujours payer un prix pour ses écarts de conduite liés à l'alimentation et à son manque de discipline. Par contre, le prix de ces quelques « tricheries » du week-end s'amenuise si on sait rester actif et enrayer la sédentarité rampante.

Votre corps de rêve, il est en vous. Il suffit d'aller le chercher, une séance à la fois. Votre poids santé, il est en vous. Vous n'avez qu'à aller le chercher, une séance à la fois. Votre plus grande estime personnelle que vous souhaitez trouver, elle est en vous, Vous n'avez qu'à aller la chercher, une séance à la fois. L'énergie et la vitalité que vous désirez maintenir, elles sont en vous. Il suffit d'aller les chercher, une séance à la fois. Cette discipline que vous recherchez depuis des années, elle est en vous. Vous n'avez qu'à aller la chercher, une séance à la fois. Il ne suffit que de savoir *pourquoi* cette nouvelle hygiène de vie est importante pour vous, de vous engager et de passer à l'action, de façon continue, avec tout le plaisir et les associations positives que vous pouvez y investir. Et ce, une séance à la fois… un jour à la fois.

LA GRÂCE ET L'EFFORT

La démarche d'assiduité dans la fréquentation du gym est comparable, selon moi, à l'envolée d'un oiseau. Afin de mieux visualiser cette image, je vous suggère de réfléchir à un canard sur l'eau. Alors qu'il flotte bien confortablement, survient ce moment où il doit s'envoler. Et je remarque toujours le même scénario à la vue de cet animal qui prend son envol. Le départ lui est toujours exigeant. Il s'élance d'abord vers le haut afin de dégager son ventre et ses ailes de l'eau, puis se met automatiquement à battre vigoureusement des ailes tout en utilisant ses palmes du mieux qu'il peut. Son but est de prendre de plus en plus d'altitude. Il le fait en déployant beaucoup d'efforts et met à partie tout son corps afin de réussir à s'envoler et à atteindre des dizaines de mètres d'altitude. Par contre, avez-vous remarqué qu'avec l'altitude, son envol se transforme en un vol, et plus il vole, plus il s'exerce avec grâce et moins il déploie d'énergie et d'efforts ?

Les efforts sont temporaires mais les résultats sont permanents. À l'instar de ce canard prenant son envol, la démarche qui consiste à se rendre au gym et d'en faire une habitude de vie demande de moins en moins d'efforts et devient de plus en plus un plaisir. Voilà un principe naturel et universel. Il n'en tient qu'à vous. Vous avez toujours le choix, de rester cloué au sol ou de vous envoler.

ANNEXES

100
BONNES RAISONS
D'ALLER AU GYM

Bien que ceci ne doit pas être un substitut à votre exercice personnel du premier chapitre, voici tout de même une liste de 100 raisons pertinentes pour aller au gym et pour s'entraîner :

1. Permet de perdre le surplus de poids;

2. Aide à mieux dormir;

3. Permet d'avoir et de garder une belle silhouette;

4. Permet de socialiser;

5. Permet d'être moins essoufflé en montant des escaliers;

6. Aide à jouer avec ses enfants (ou ses petits-enfants);

7. Donne envie de mieux prendre soin de soi et de sa santé;

8. Donne de l'énergie;

9. Rend plus souriant;

10. Donne un teint plus radieux;

11. Diminue les probabilités de développer certaines maladies;

12. Rend plus détendu;

13. Permet de mieux contrôler ses émotions;

14. Procure plus de souplesse;

15. Permet d'être fier à la plage ou à la piscine;

16. Assure une meilleure posture;

17. Les vêtements font mieux;

18 Enraye les maux de dos;

19 Aide à être plus performant en ski;

20 Aide à être plus productif;

21 Aide à augmenter ses revenus – il est prouvé que les gens en forme ont de meilleurs revenus que les gens inactifs;

22 Permet d'avoir un corps plus ferme;

23 Permet d'avoir un contrôle sur sa santé;

24 Change les idées et enraye les pensées négatives;

25 Aide à obtenir le respect et l'admiration de l'entourage;

26 Constitue une excellente façon de donner l'exemple à ses enfants et à ses employés;

27 Réduit les risques de chutes chez les personnes âgées;

28 Aide à arrêter de fumer;

29 Renforce le cœur;

30 Améliore ou maintient les capacités fonctionnelles;

31 Permet aux éléments nutritifs d'être mieux assimilés dans l'organisme;

32 Permet d'être plus performant au golf;

33 Réduit les crampes menstruelles;

34 Réduit le rythme cardiaque au repos;

35 Améliore les fonctions du foie;

36 Augmente légèrement le métabolisme de base;

37 Aide à éviter la formation de varices;

38 Renforce les os;

39 Améliore l'endurance cardiovasculaire;

40 Améliore le système nerveux;

41 Améliore la digestion;

42 Renforce le système immunitaire;

43 Procure force et endurance musculaire;

44 Aide à définir les muscles;

45 Réduit stress et tensions;

46 Améliore l'aspect de la peau;

47 Améliore les fonctions du système cardiorespiratoire;

48 Améliore la qualité de vie en général;

49 Réduit les risques de développer le diabète de type II;

50 Réduit les risques d'un arrêt vasculo-cérébral;

51 Améliore la capacité de l'organisme à éliminer l'acide lactique;

52 Réduit les risques de maladies coronariennes;

53 Réduit les risques d'arrêt cardiaque;

54 Améliore l'attitude face à soi-même et à la vie;

55 Réduit les risques de dépression;

56 Permet au corps de rester plus chaud lors des froides journées d'hiver;

57 Réduit les risques de mourir du cancer;

58 Livre bataille à la constipation;

59 Permet de socialiser tout en gardant la forme;

60 Aide à garder une stabilité émotive;

61 Pousse au dépassement de ses limites;

62 Réduit l'hypertension artérielle;

63 Permet d'apprécier d'autres formes d'activités physiques;

64 Constitue la meilleure mise au point pour le corps;

65 Permet d'avoir une grossesse en santé;

66 Procure une sensation de contrôle sur sa vie;

67 Éloigne l'esprit des irritants quotidiens;

68 Permet de prendre davantage conscience de son corps;

69 Permet de se sentir plus séduisant;

70 Réduit les douleurs aux articulations;

71 Permet de bouger avec plus d'aisance;

72 Stimule le corps et l'esprit;

73 Réduit les risques de diabète pendant la grossesse;

74 Permet de vivre plus longtemps;

75 Permet de se sentir mieux plus longtemps;

76 Améliore le temps de réaction grâce à des muscles qui réagissent plus vite;

77 Améliore la coordination et l'équilibre;

78 Aide à se sentir plus vivant;

79 Permet de garder son poids santé;

80 Augmente l'estime personnelle;

81 Réduit les risques de décès prématuré;

82 Réduit les chances de développer de l'ostéoporose;

83 Permet de mieux endurer la chaleur;

84 Améliore les performances sexuelles;

85 Procure un sentiment de bien-être;

86 Procure une sensation d'accomplissement;

87 Permet d'ouvrir de nouveaux horizons à sa vie;

88 Permet de s'ouvrir l'esprit et de penser plus librement;

89 Permet d'améliorer ses performances athlétiques
dans d'autres sports;

90 Donne confiance en sa capacité de prendre des risques;

91 Facilite ses visites au gym en raison des nombreux bénéfices;

92 Permet de se sentir moins blasé;

93 Permet de mieux apprécier la vie;

94 Améliore les fonctions du système cardiovasculaire;

95 Aide à prévenir les maladies cardiaques;

96 Augmente le volume des muscles grâce à des fibres
musculaires plus grosses;

97 Aide à être mieux disposé à envisager les problèmes
et les défis de la vie;

98 Permet de profiter de commentaires agréables de l'entourage
du genre : « WOW ! Tu es resplendissant ! »;

99 Aide à se réaliser davantage;

100 Procure l'énergie nécessaire à tous les aspects de sa vie !

· ■ ■ ■ ·

ÉNERGIE CARDIO MET DE L'ÉNERGIE DANS VOTRE VIE
UNE BELLE HISTOIRE

C'est en joggant sur l'un des tapis roulants du centre Énergie Cardio où je suis membre que l'idée d'écrire ce livre m'est venu. Côtoyant des membres de tous les âges, de tous les styles, et de toutes les conditions physiques, je me suis rendu compte que ce qui motivait les gens à s'entraîner allait bien au-delà des installations et des activités que l'on pratique dans un gym. J'ai surpris des conversations qui ont confirmé plusieurs choses que je pensais; certains s'y rendent pour tourner une page importante de leur vie. D'autres parce que le médecin le leur a fortement suggéré. D'autres encore y vont pour apprendre à mieux s'aimer ou pour le simple plaisir et le bien-être que l'entraînement régulier procure.

Je me suis toutefois demandé pourquoi certains ont de la motivation alors que d'autres abandonnent. Quoi qu'il en soit de la naissance de ce livre, j'espère de tout mon cœur que le fruit de ma réflexion, de mon expérience et de mes recherches vous seront utiles dans votre poursuite d'une vie active.

Lors de la période de rédaction, j'ai aussi eu l'immense plaisir de rencontrer les dirigeants de cet important réseau de mise en forme, le plus grand au Québec. Ces diverses rencontres m'ont permis de mieux comprendre le succès de cette entreprise et, surtout, celui de ses milliers de membres.

UNE MISSION

Depuis 1985, **ÉNERGIE CARDIO**, fort de l'implication de son équipe, a pour mission d'améliorer la condition physique et la qualité de vie de la population en offrant des programmes accessibles, efficaces et supervisés par des entraîneurs compétents et motivants, le tout dans une ambiance décontractée où le plaisir du client est une priorité.

LE COMMENCEMENT

Entièrement québécoise, cette entreprise a été fondée à Saint-Jérôme dans les Laurentides par son président actuel, monsieur **Alain Beaudry**. Sa vision : offrir à la clientèle un concept de centres de mise en forme où chacun se sent vraiment enthousiaste et à l'aise de s'entraîner. *« J'ai débuté dans le domaine à l'âge de 33 ans en louant le club de raquetball de mon frère. Ce genre d'établissement était, partout à travers la province, en perte de popularité. J'ai donc eu l'idée d'y greffer un centre de mise en forme »*. Novice dans ce domaine, Alain a fait la visite des quelques gyms existants pour constater que ces endroits étaient fréquentés principalement par *Monsieur Muscle* ou *Madame Pétard*. *« Les gyms, à cette époque, étaient surtout destinés aux hommes et, plus précisément, aux culturistes. Je ne m'y sentais pas à l'aise moi-même et j'étais persuadé que plusieurs personnes aimeraient être membres d'un centre de mise en forme à la condition de pouvoir bien s'y sentir et bénéficier d'un programme adapté à leur capacité et à leurs besoins »*, m'explique Alain.

Il ouvre donc un premier centre et met en place les bases du concept qui ont fait le succès de l'entreprise. *« Afin d'éviter l'atmosphère de compétition et tout en renforçant le concept « Monsieur-Madame-Tout-Le-Monde », on a interdit le port de la petite camisole. Les clients optent plutôt pour le t-shirt et se sentent soulagés de se retrouver dans un centre où l'ambiance est décontractée, loin du défilé de mode »*. L'importance est donc mise sur l'accueil, l'hygiène et la propreté, ainsi que sur la qualité des services.

En 1989, **Judith Fleurant**, bachelière en éducation physique, travaille comme entraîneure dans le centre d'Alain à Saint-Jérôme, lorsqu'elle lui propose de s'associer pour ouvrir un deuxième centre. L'homme d'affaires la regarde avec un peu de scepticisme : qu'est-ce que cette jeune femme de 23 ans connaît à la direction d'un commerce ? Il la met donc au défi de trouver un local. Judith le prend au mot et ils ouvrent, en 1990, le deuxième centre du réseau à Blainville sur la rive nord de Montréal. *« J'avais le désir d'aider les gens à améliorer leur qualité de vie et j'ai toujours su que l'activité physique pouvait vraiment y contribuer. Je n'avais cependant jamais pensé à me lancer en affaires, mais assise dans le bureau de mon patron, je l'entends négocier l'achat d'équipement usagé et sur un coup de tête, je lance cette idée qui allait être l'une des plus importantes de ma vie »*, me raconte Judith Fleurant. La jeune femme est aujourd'hui vice-présidente du réseau et s'occupe de la formation, des ressources humaines ainsi que de la recherche et du développement des programmes. Voici ce qui motive cette jeune dirigeante, mère d'une famille de trois enfants : *« J'ai beaucoup de plaisir au travail. Tout comme éprouver du plaisir lorsqu'on s'entraîne est un gage de persévérance et de réussite, s'amuser en travaillant me permet d'être motivée et d'obtenir de bons résultats. C'est lorsque nous développons de nouveaux programmes que je suis le plus enthousiaste. C'est très stimulant. J'aime également voir évoluer nos employés, les voir progresser au même titre que le réseau. Nous avons vraiment une merveilleuse équipe. Mais par-dessus tout, ce sont les témoignages que nous recevons des clients, dont la qualité de vie s'est améliorée avec notre aide, qui me poussent à toujours aller plus loin »*. En rencontrant Judith, on ressent immédiatement la motivation et la passion qui l'animent.

UN, DEUX, TROIS, QUATRE... LA FORME SE PARTAGE!

Judith et Alain avaient quatre centres lorsque deux clients – un couple – qui adoraient le concept leur ont demandé s'ils vendaient des franchises. *« Nous avons accepté d'emprunter cette direction parce que ces personnes étaient aussi passionnées que nous et parce que nous croyions que le fait d'avoir des franchisés nous permettrait de développer le réseau tant au niveau de la qualité du service qu'au niveau du nombre de succursales »*, m'explique Alain Beaudry qui dirige le développement du réseau et la publicité. Ce sont d'abord des employés et des clients emballés par le concept qui deviennent franchisés. Ils aiment travailler dans ce milieu sain pour vendre santé et bien-être à leurs clients. *« C'est un milieu dynamique et stimulant. Il n'y a rien de plus valorisant que d'écouter des clients nous raconter comment ils ont changé leur vie en venant chez nous. Nous vendons de la santé, de l'énergie !* » m'ont aussi dit les propriétaires des franchises Énergie Cardio. J'ai été surpris de constater comment ces personnes croyaient à leur service et étaient motivées dans leur travail auprès des membres. Je suis maintenant persuadé que le succès de l'entreprise est principalement dû à cette forte croyance qu'ont les franchisés et leurs employés en leur mission auprès de la population. « *Il y a tellement de gens sédentaires. Je sais que nous avons un grand rôle à jouer pour les faire bouger. Tous les matins, lorsque je me lève, j'ai envie d'aller travailler. Nous sommes une grande famille et nous avons beaucoup de plaisir ensemble, et avec nos clients* » m'a expliqué madame Claire Tremblay, qui, avec sa maîtrise en physiologie de l'exercice, a acheté sa première franchise en 1996 et qui est maintenant propriétaire de quatre centres.

PASSIONNÉMENT ÉNERGIE CARDIO

La troisième dirigeante du réseau a suivi un cheminement semblable à celui des franchisés. Elle est aussi une grande passionnée de la mission de l'entreprise. Bachelière en éducation physique, Madame **Caroline Pitre** complétait sa maîtrise en kinanthropologie lorsqu'elle s'est arrêtée, un peu à reculons, au centre Énergie Cardio de Terrebonne. « *J'avais déjà été membre dans un gym, mais j'avais détesté l'expérience. Le personnel n'y était pas très compétent et on essayait de me vendre des suppléments et des traitements miracles complètement inutiles. Quand j'ai ouvert la porte de chez Énergie Cardio, j'ai été accueillie avec chaleur et simplicité par l'entraîneur en place; j'ai aimé l'ambiance non intimidante. J'entrais pour étudier la possibilité de m'inscrire mais j'ai tout de suite eu l'idée d'y travailler* ». Forte de sa formation académique en éducation physique, Caroline débute comme entraîneure en 1993, le temps de compléter sa maîtrise et de terminer son mandat de *'coach'* d'une équipe de natation, milieu dans lequel elle a évolué pendant cinq ans comme athlète. Elle s'est, de plus, taillé une place de choix au sein de l'élite sportive québécoise et a accumulé dix ans d'expérience à titre d'entraîneur. Un an après son adhésion au réseau Énergie Cardio, elle achète, avec un associé, sa première franchise. Excellente femme d'affaires, elle ne s'est pas arrêtée là puisqu'elle opérait sept franchises lorsque Alain et Judith l'approchent, en 1997, pour l'avoir comme associée à la tête du réseau. « *Caroline avait la même vision que nous. Ses centres étaient des modèles, elle avait les compétences et l'expérience requises. Pour notre part, nous voulions ouvrir plusieurs centres assez rapidement. Il nous fallait de l'aide et nous aimons travailler en équipe* », m'ont expliqué Alain et Judith. Aujourd'hui vice-présidente du réseau, Caroline a la responsabilité des départements des services aux entreprises et des opérations. Les choses qui la motivent le plus : le développement de ses employés, l'ouverture des nouveaux centres et l'agrandissement et/ou les améliorations apportées dans les centres existants. « *Nous ne prenons rien et surtout aucun client pour acquis. Nos franchisés doivent constamment réinvestir pour améliorer leurs installations et ajouter de nouveaux équipements. Nos membres travaillent fort pour améliorer leur condition physique et nos employés font tout pour les aider. C'est la responsabilité des dirigeants de mettre à leur disposition les meilleurs outils possibles pour les appuyer* ». La détermination de cette femme, aussi mère de deux jeunes enfants, m'a vraiment impressionné.

Propriétaires du plus grand réseau franchisé de centre de conditionnement physique au Québec, Alain, Judith et Caroline n'ont jamais regretté cette association à trois qui leur a permis d'élargir leur vision et de relever les défis avec une énergie multipliée par trois, qui fait aussi leur marque de commerce.

ET CE N'EST PAS FINI

En 1985, le premier centre employait quatre personnes et comptait 400 membres. En 2005, le réseau réunit 80 centres, 1 600 employés et 145 000 membres. Avec plus de 50 millions de chiffres d'affaires, Énergie Cardio est le plus grand réseau au Québec et le deuxième au Canada. Qu'est-ce qui motive monsieur Alain Beaudry après 20 ans à la tête de l'entreprise ? « *Le fait d'avoir créé des emplois, d'avoir aidé nos franchisés, de jeunes entrepreneurs passionnés et dynamiques, à se lancer en affaires, est ma plus grande source de satisfaction. La responsabilité de les accompagner vers la réussite est ma source de motivation quotidienne* » m'a confié le président d'Énergie Cardio qui, à 53 ans, déborde d'énergie et veut toujours relever de nouveaux défis. « *J'aime les défis et j'adore trouver de nouvelles idées. Il y a encore de la place pour dévelop-*

per et pour s'améliorer. Il y a 46,5% de la population qui n'atteint pas le volume d'activité physique recommandé (source : Kino-Québec). La sédentarité cause de graves maladies et les hôpitaux débordent. Le rôle des centres de mise en forme est essentiel. Le réseau Énergie Cardio peut faire sa part en étant accessible au plus grand nombre de personnes possible ». En effet, en plus d'augmenter le nombre de centres afin de mieux couvrir géographiquement le territoire québécois – la proximité du gym étant un facteur important pour garder un client motivé – le réseau Énergie Cardio poursuivra sa lancée en ouvrant des centres *Énergie Cardio Sélect pour Elle* à proximité des centres mixtes déjà existants. Ces centres offrent des services adaptés aux femmes et leur permettent de s'entraîner dans une ambiance non intimidante qui leur plaît beaucoup. On retrouve sur place des services d'esthétique, de massothérapie et de garderie en plus de toute la gamme des programmes offerts dans les centres mixtes.

LA FORCE D'UN RÉSEAU

L'union fait la force. Le réseau Énergie Cardio l'a compris. Ce sont les idées et l'énergie des employés, des franchisés, des trois dirigeants franchiseurs Alain Beaudry, Judith, Fleurant, Caroline Pitre et son porte-parole Josée Lavigueur, qui permettent à l'entreprise d'être le chef de file en matière de mise en forme au Québec. Mais surtout, ce sont ses milliers de membres qui renouvellent année après année leur abonnement, inspirant à tous le courage, la détermination et la motivation pour continuer.

Dans l'ordre habituel :
Alain Beaudry, président, Caroline Pitre, vice-présidente et Judith Fleurant, vice-présidente.

DE L'ÉNERGIE DANS VOTRE VIE!

Le programme comprend une initiation à l'entraînement, un suivi continu, un programme personnalisé, des révisions de programme périodiques, tous les équipements pour le cardiovasculaire et le musculaire ainsi que tous les cours en groupe.

AVEC UN ENTRAÎNEUR PERSONNEL; POUR BIEN DÉBUTER OU MIEUX CONTINUER!

Votre entraîneur personnel conçoit un programme varié, sécuritaire et adapté à votre condition physique, puis vous l'enseigne en respectant votre rythme afin de vous aider à relever des défis et à atteindre vos objectifs plus rapidement. L'entraîneur donne du Pep à l'entraînement et, avec lui, vous aurez la motivation pour maintenir vos bonnes résolutions.

AVEC UN ENTRAÎNEUR PERSONNEL ET UNE NUTRITIONNISTE; POUR MAIGRIR EN SANTÉ ET POUR LA VIE!

Ce programme s'adresse à tous ceux et celles qui désirent retrouver de saines habitudes de vie, et, par conséquent, atteindre et conserver un poids santé. Kilo Cardio combine l'exercice et une bonne alimentation, qui sont, selon tous les professionnels, les deux éléments essentiels à une démarche de perte de poids. À ces deux éléments, Kilo Cardio ajoute la motivation et les conseils d'un entraîneur personnel et d'une nutritionniste pour que vous ayez toutes les chances de succès!

Énergie55

LA SUPER FORME POUR LES 55 ANS ET PLUS!

Au-delà de l'espérance de vie, c'est désormais l'espérance de vie active et en santé qui importe. Ce programme propose du conditionnement physique en groupe, sécuritaire, adapté et motivant. Retrouvez l'énergie de vos 20 ans!

LE PROGRAMME POUR LES 10 À 16 ANS, PARCE QUE LES BONNES HABITUDES SE DÉVELOPPENT TÔT!

Les statistiques le confirment : plusieurs jeunes adolescents sont confrontés à des problèmes de poids qui sont attribuables, avant tout, à la sédentarité, c'est-à-dire au manque d'activités physiques. Tout comme les adultes, ils manquent souvent de motivation pour passer à l'action. Grâce à un programme adapté qui respecte le développement physique des jeunes, les entraîneurs personnels d'Énergie Cardio sauront les aider à améliorer leur condition physique, à développer leur estime personnelle, à acquérir de bonnes habitudes de vie et même, à atteindre un poids santé en adoptant de nouvelles habitudes alimentaires, s'il y a lieu.

ÉquiliForme

MAXIMISEZ VOS EFFORTS EN TOUTE SÉCURITÉ!

Afin de bien commencer un programme d'entraînement, un équilibre (symétrie) musculaire s'avère pertinent : c'est une base solide et préalable à l'atteinte de tout objectif. Dans le but d'avoir un équilibre musculaire, l'ÉquiliForme est un programme personnalisé, à l'avant-garde de la technologie et de la recherche au niveau de l'entraînement, qui identifie les forces et les faiblesses musculaires chez tout individu afin de prescrire les bons exercices de renforcement et d'étirement de différents muscles.

DES EMPLOYÉS EN FORME... UNE ENTREPRISE EN SANTÉ!

Nous offrons des forfaits corporatifs avantageux pour les entreprises et leurs employés. Déjà plus de 4 000 employeurs ont pris une entente avec Énergie Cardio. Dans le cadre d'une conférence, un professionnel d'Énergie Cardio pourra traiter de différents sujets, notamment de la santé par l'activité physique, des bienfaits physiques et psychologiques de l'exercice, de la posture de travail, etc. Un professionnel des cours en groupe d'Énergie Cardio pourra animer une pause exercices, à votre lieu de travail ou dans le cadre d'une réunion, d'une journée thématique ou lors d'une activité sociale. Les experts d'Énergie Cardio sont également en mesure d'évaluer sommairement quelques paramètres de la condition physique de vos employés et de répondre à leurs questions dans le cadre d'un kiosque installé à même vos locaux.

TROUVEZ LE COURS QUI VOUS CONVIENT!

Exercices au son d'une musique entraînante demandant un minimum de coordination et de rythme, qui procurent beaucoup de plaisir et une grande dépense calorique. Des cours de jour et de soir sont proposés, dans une salle privée (pas de spectateurs), par des instructeurs certifiés, compétents et motivants.

· ■ ■ ■ ·

RESSOURCES PERTINENTES

KINO-QUÉBEC

WWW.KINO-QUEBEC.QC.CA

DÉFI SANTÉ 5/30

HTTP://DEFISANTE.CANOE.COM/QUOI.HTML

ACTI-MENU

HTTP://WWW.ACTIMENU.CA/SAE/SAE_PROGR.HTM

DÉFI J'ARRÊTE, J'Y GAGNE

HTTP://WWW.DEFITABAC.QC.CA

REALAGE

WWW.REALAGE.COM

BULLETIN ÉNERGIE CARDIO

WWW.ENERGIECARDIO.COM

FONDATION DES MALADIES DU COEUR

WWW.FMCOEUR.QC.CA

SANTÉ CANADA

WWW.HC-SC.GC.CA

· ■ ■ ·

À PROPOS
DE L'AUTEUR

Expert de réputation internationale sur les thèmes de la réussite personnelle et professionnelle, ses conférences et séminaires sont toujours inspirants, motivants et divertissants. Auteur du best-seller « *La Cinquième Saison : réaliser sa destinée avec simplicité* », un guide complet et unique sur la réussite, il a déjà à son actif plus de 1 000 présentations données dans 4 pays, 9 provinces canadiennes, 16 états américains et dans des centaines de villes. Il a de plus aidé des dizaines d'entreprises de tous les secteurs d'industrie (tel *Pfizer, Bell, Carlson Wagonlit, Desjardins et Birks*) et inspiré des milliers d'individus à :

- accueillir le changement de façon positive et créative;

- changer d'attitude;

- améliorer le travail d'équipe;

- atteindre leurs objectifs de vente,

- réaliser leur mission et leur plein potentiel avec passion et satisfaction!

Auteur de plusieurs articles ayant pour thème la réussite personnelle et professionnelle, il a été interviewé, à plusieurs reprises, et cité dans les médias imprimés, radiophoniques et télévisés tel que *TVA, Vox, Les Affaires, Vivre, FM93 et Radio CITÉ Rock Détente*. Il est aussi chroniqueur pour le *Journal Servir* des *Forces Canadiennes* et le bulletin mensuel d'*Énergie Cardio*.

. ▪ ◼ ▪ .

Inscrivez-vous à MOREL EXPRESS,
le bulletin mensuel inspirant et gratuit
en visitant **www.marcandremorel.com**

Marc André Morel
Morel Leadership inc.
C.P. 116
St-Sauveur, Québec, Canada
J0R 1R0

450-224-3030
Sans frais : 1-866 MA MOREL (626-6735)
leader@marcandremorel.com

. ▪ ◼ ▪ .